JN067929

Nゲージで楽しむ 貨物列車入門

Nゲージで楽しむ
貨物列車入門
CONTENTS

※文◎児山 計・佐々木 龍・編集部
※掲載している内容は「エヌ」もしくは
　「Ｎゲージで愉しむ貨物」に掲載した
　記事に加筆・訂正したものです。
※記事中で紹介しているモデルは現在
　欠品中のものもあります。最新の再
　生産情報を確認してください。

自由に楽しもう！
Ｎゲージで
貨物列車を走らせる

ブルートレイン、新幹線、そしてSLに通勤電車など、
あらゆる列車がＮゲージで発売されている。
それぞれの列車において編成のルールがあるが、
貨物列車はルールが緩やかなので、Ｎゲージのはじめの一歩としておすすめ。
実車の編成にこだわらず、自己流でいろいろ楽しんでみよう。

TOMIX

TOMIX
Ｎゲージ鉄道模型ファーストセット
小型ディーゼル機関車

TOMIXから発売されている入門セット。DD51をイメージした小型の機関車とコム1タイプの貨車2両が含まれている。機関車は実車が存在しない架空の車両なので自由な発想で楽しもう。

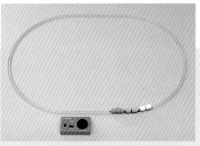

セットにはおよそ100cm×70cmほどの小判型の線路と入門用パワーユニットFG-17が付属。こたつなど大きめのテーブルでも楽しめる大きさ。

KATO

KATO
Ｎゲージスターターセット・スペシャル
EF210 コンテナ列車

KATOからは電気機関車EF210＋コキ106（2両）のセットが発売されている。東海道本線などで活躍する実際に存在する車両で、実車は20両以上になることもある。コンテナ車を少しずつ買い足していこう。

セットの線路をつなげると133.7cm×67.7cmの寸法となる。パワーパックは出力に余裕のあるスタンダードSXが付属する。

貨物列車は自由だ!

　鉄道模型をはじめるなら、まずは線路、車両、そしてコントローラー（TOMIXではパワーユニット、KATOではパワーパックと呼んでいる）が必要となる。線路とコントローラーはさまざまな組み合わせがあり入門者には少し敷居が高いため、TOMIXとKATOはこれらが一式になった入門セットをいくつか発売している。入門セットを購入すれば、最低限だが鉄道模型を楽しむことができ、さらに単体で揃えるよりも安く済むメリットもある。

　貨物列車は「こう組まなくてはいけない」という「縛り」が緩いため、機関車と貨車をいろいろと組み合わせて楽しめる。入門セットの線路構成ではそれほど長い編成を組むことはできないものの、貨物列車であれば短い編成でも楽しめる。入門セットをベースとして、実車にこだわることなく、好みの貨車や機関車を追加しながら貨物列車を楽しんでみよう。

貨車を増結しよう
写真はセットに含まれるコキ1タイプよりも大型のコキ107。貨車を変えると列車の雰囲気も変わる。●TOMIX

コンテナを積み替えよう
コキ1やコキ106に載せるコンテナはいろいろあるが、まずは12ftコンテナと呼ばれる立方体に近いコンテナで楽しんでみよう。●TOMIX

ポイントを追加してみよう
ポイントがあると運転がグッと楽しくなる。ポイントを追加して、貨車の入換も楽しんでみよう。●KATO

別売コンテナを使おう
入門セットには19Dコンテナが付属するが、別のコンテナに積み替えてみよう。コンテナを積み替えるだけでも、列車の見た目は大きく変わる。●朗堂

貨物列車で Nゲージデビューしよう！

すでにNゲージを楽しんでいるけれど、貨物列車の製品を持っていない人もいることだろう。
入門者はもちろん、そんな人もまずは機関車1両＋貨車数両からはじめてみよう。
いろいろ調べながら、自分なりの編成を組んで走らせるのも楽しいぞ。

実車にこだわるなら 貨車セットがおすすめ

貨物列車には決まった編成がない。厳密には決まりがあるが、少々わかりにくい。そういった場合は、メーカーが発売している貨車セットを購入するのもおすすめ。実車に則した車両構成になっているため、リアリティという面では心配する必要はない。また、添付の説明書には編成例なども掲載されているので、編成を拡張する際にも大いに参考となる。

コンテナ列車の場合、積載するコンテナは別売が基本なので、実車を参考にコンテナを選ぶ。何を載せていいかわからない時は、まずはJRコンテナをチョイスしておけば間違いない。

JRコンテナの種類もいろいろあるが、19D、V19Cという形式の旧塗装コンテナが無難だ。活躍の時期が広く、JRコンテナ列車であれば似合わないということはまずない。これを基準に90年代前半の貨物列車なら18Dコンテナを、最近の貨物列車であれば20Cコンテナを追加すれば雰囲気を出せる。

(まずは雰囲気を楽しもう)

貨物列車デビューに際して、何を購入したらいいのか迷うところ。
決め手がないのなら、メーカーおすすめの車両セットからはじめてみてもいいだろう。

ヤードの入換なら	日本海縦貫線なら	東海道本線なら

TOMIX
JR DE10・ワム80000 貨物列車
DE10形機関車とワム80000が同梱されており、かつての王子製紙専用線を思わせる車両セット。工場と貨物駅の短い区間の入換などで楽しめる。

TOMIX
JR EF510形コンテナ列車
EF510とコキ50000×2両のセット。コンテナ2両では寂しいが、コキ50000やコキ100系を買い足してつなげていくのも楽しい。

TOMIX
JR EF210形コンテナ列車
東海道本線の主力であるEF210とコキ107が2両入ったセット。コキ107はISO（海上）コンテナにも使われるので、さまざまなコンテナを積載しよう。

（ 機関車の選び方 ）

JR貨物の機関車は路線ごとにほぼ形式が決まっているので、
再現したい路線の列車に合わせて機関車を選ぼう。

東海道本線

東海道本線は直流電気機関車EF210、EF65、EF66などを使用し、EF64が運用に入ることも。
EF65・EF210 ●TOMIX、EF66 ●KATO

東北本線、羽越本線

交流電化の東北本線では交直流機のEH500、羽越ルートではEF510が使われる。少し昔なら
ED75も似合うだろう。EH500・ED75 ●TOMIX、EF510 ●KATO

中央本線

中央本線は勾配が多いため、中央東線は八軸のEH200が、中央西線はEF64の重連が使われる。
EH200・EF64 ●KATO

M250系
スーパーレールカーゴ

現代の貨物列車は基本的に長編成だ。北海道方面や
日本海縦貫線などは最大20両、東海道・山陽本線
なら最大26両もの長さになる。しかし、この長さを
自宅で走らせるのは現実的ではない。畳1枚分のレイ
アウトであれば、コキ100系なら8〜10両程度でも
充分迫力のある編成が組める。あとは搭載するコン
テナで自分流のセンスを見せていこう。

コンテナ車は1両単位で
追加できるが…

　コンテナ車は単品で販売されているので、コキ
104やコキ106であれば予算に合わせて1両ずつ
追加できる。しかし、コキ100・101および102・
103は実際には「コキ101＋コキ100＋コキ100＋
コキ101」、「コキ103＋コキ102＋コキ102＋コ
キ103」と4両で1ユニットを組むため、実車に合わ
せるのならば4両単位で揃えなくてはならない。また、
コキ105は2両ユニットなので、2両で1単位となる。

コキ100・101は4両単位で構成される。
左からコキ101、コキ100、コキ100、
コキ101　●いずれもTOMIX

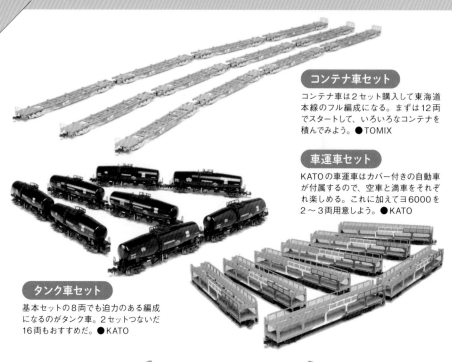

コンテナ車セット

コンテナ車は2セット購入して東海道本線のフル編成になる。まずは12両でスタートして、いろいろなコンテナを積んでみよう。●TOMIX

車運車セット

KATOの車運車はカバー付きの自動車が付属するので、空車と満車をそれぞれ楽しめる。これに加えてヨ6000を2～3両用意しよう。●KATO

タンク車セット

基本セットの8両でも迫力のある編成になるのがタンク車。2セットつないだ16両もおすすめだ。●KATO

(貨車セットの選び方)

一部を除き、貨車セットは同じ形式の貨車を複数集めたものが中心。
このセットだけで貨物列車の編成が成立することは少ないが、
これを足がかりに自分なりの編成を組んでいこう。

大物車セット

シキ600は貨車1両に車掌車2両でフル編成。最近では車掌車は1両になっているが、模型ではやはり車掌車を2両つなげたい。●マイクロエース

石炭輸送車セット

石灰輸送はかつて日本各地でおこなわれていた。写真は伯備線のセットだが、ほかの路線の石灰輸送も再現してみたい。●KATO

石炭車セット

蒸気機関車やDD51などの牽引相手にぴったりなのが石炭車。予算の許す限り、長編成を仕立てたい。●KATO

"貨車"の世界を知ろう！

貨車の役割やつなぎ方をマスターすれば、
短編成でも長編成でもNゲージで気軽に貨物列車を楽しめる。
貨車の基礎知識を手に入れて、自分だけの遊び方を見つけてみよう！

写真◎金盛正樹

知っておきたい
貨車の基礎知識

現在ではコンテナ車やタンク車が主流だが、以前は多種多様な貨車が日本全国所狭しと走っていた。
貨車の世界をより深く知るため、ここでは貨車を大まかに紹介しよう。

有蓋貨車

風雨にさらされては困る貨物を搭載する屋根付きの貨車。汎用の有蓋車のほかに、鉄側有蓋車、鉄製有蓋車、冷蔵車、通風車、家畜車、豚積車、家畜車、活魚車、陶器車、家禽車などがある。

有蓋車

ワラ1

国鉄時代に17367両が製造された、最後の2軸黒ヤネ車。「ヤネ」とは電報略語の有蓋車のことで、とび色のワム80000型に対して、黒一色だったためこのように通称されていた。●KATO

ワム80000

日本鉄道史上最多の26605両が製造された、最高速度75km/hの15t積み有蓋車。パレットとフォークリフトを用いた荷役に対応するため、側面全体を扉にした構造が特徴。●KATO

冷蔵車

レム5000

1963年に登場した冷断熱性能がアップされた冷蔵車。断熱性能のよいグラスウールを断熱材に使用した保冷性能は他車とは一線を画した。また、2軸冷蔵車ではじめて15t積みを実現。●河合商会

ツム1000

野菜や果物などの青果を中心とする生鮮食品を輸送するために、車体全体に通風口を設けた構造。側面と妻面、側扉にもプレス構造の通風口が設けられており、走り装置は2段リンク式。●TOMIX

無蓋貨車

風雨にされされても差し支えない貨物など運ぶための屋根が付いていない貨車。汎用の無蓋車のほかに、土運車、長物車、大物車、車運車、コンテナ車などがある。

無蓋車

トキ15000

木材輸送を考慮し、13800mmの車体長を持つボギー貨車。台枠は魚腹台枠で、妻板とアオリ戸、床板はすべて木製。アオリ戸1枚の大きさは、2軸無蓋車よりも小さい。●KATO

トラ90000

製紙原料であるチップ輸送用の物資別適合貨車。アオリ戸と妻板上部の四方に金網張りの柵を設置された外観が特徴的。走り装置がリンク式だったため、1968年以降は北海道内専用車となった。●河合商会

車運車

ク5000

自動車を輸送するための貨車。1200～1900ccクラスの自動車が8台積載でき、上下2段式の設計。台車にはTR63Cを使用し、最高速度は85km/h。大きく分けて6タイプあるが、シート収納箱以外には外観は大差ない。●KATO

コンテナ車

コキ50000

牽引機を選ばず、さらに95km/h運転を可能とした貨車。荷重37t、10tコンテナを3個、さらに2種5tコンテナを5個搭載できるように積載能力も向上した。●KATO

タンク貨車

主に液体を運ぶ貨車。化学薬品を運ぶタンク車は薬品の特性などに合わせて、さまざまな形態が存在する。

化成品タンク車

タム8000

全長7,800mm、過酸化水素水専用の15t積み純アルミタンク体が採用された銀色のタンク車。タンク体は純アルミの地肌のままか銀色で塗装され、受け台を含む台枠は黒色となっている。●マイクロエース

石油タンク車

タキ1000

FT1台車を基本にし、タンク体に干渉しないように車輪径を860mmから810mmに変更されたFT21が搭載された。この台車とCSDブレーキとにより、最高速度は95km/hとなった。●TOMIX

事業用貨車

貨物などを運ぶためでなく、業務用に使用される貨車。救援車、検重車、工作車、試験車、車掌車、職用車、操重車、歯車車、控車、雪カキ車などがあったが、ほとんどはJRに引き継がれずに国鉄時代に消滅した。

救援車

エ1

つねに脱線事故復旧用の機材を積み、事故があった際には人員とともに現場へと向かい、事故復旧に従事する事業用車。走り装置はシュウ式で、最高速度は65km/hであった。●TOMIX

車掌車

ヨ5000

走り装置に2段リンク式をはじめて採用し、最高速度が85km/hへ向上した鋼製車掌車。写真の5011を含む5000〜5011号車は、『たから号』用としてヨ3500型から改造されたもの。●TOMIX

ホッパ貨車

石炭や鉱石、セメントなどの粉体を積載するための貨車で、底が開くようになっている。積荷の種類によって無蓋タイプのものと、有蓋タイプのもの、タンク車に構造が近いものがある。

カバードホッパ車

ホキ2500

1967年に登場した35t積石灰石専用車。車体には耐候性高張力鋼板が使われ、強度がアップ。側扉は前後に2分割され、裏表に鋼板を張ったいわゆる「たいこ張り」となっている。●河合商会

ホッパ車

ホキ10000

セメント工場に石炭を輸送するためにつくられた貨車。従来の石炭車と異なり、底が開くホッパ車の構造が採用され、ブレーキ関係機器は車端部の台枠上に設けられている。●河合商会

用途をあらわす型式記号

貨車の形態や用途をあらわす記号はカタカナで表される。有蓋車、無蓋車、コンテナ車、ホッパ車、タンク車、事業用車などの大分類があり、それぞれに用途別の記号が付けられている。

有蓋貨車	ホッパ貨車・タンク貨車
ウ＝豚積車	セ＝石灰車
カ＝家畜車	ホ＝ホッパ車
ス＝鉄側有蓋車	ヲ＝鉱石車
ツ＝通風車	タ＝タンク車
テ＝鉄製有蓋車	ミ＝水運車
ナ＝活魚車	**事業用貨車**
パ＝家禽車	エ＝救援車
ポ＝陶器車	キ＝雪カキ車
レ＝冷蔵車	ケ＝検重車
ワ＝有蓋車	サ＝工作車
無蓋車	ソ＝操重車
ク＝車運車	ヒ＝控車
シ＝大物車	ピ＝歯車車
チ＝長物車	ヤ＝職用車・試験車
ト＝無蓋車	ヨ＝車掌車
リ＝土運車	フ＝緩急車
コ＝コンテナ車	

現在の貨物列車で遊ぶ

おびただしい数の製品が発売されている貨車。一体どれを選べばいいのだろう。
まずは大雑把に貨物列車の今を見てみよう。

主流となったコンテナ

貨物列車の主流は、拠点間輸送のコンテナだ。荷主のもとで輸送品をコンテナに詰めてトラックで駅に運び、貨物列車に載せて目的の貨物駅まで直行するスタイル。

使われる車両はコキ100系と呼ばれるグループがメイン。

編成は東北筋で20両、東海道・山陽本線なら24両が目安だが、模型で遊ぶならもっと短編成でもいい。コンテナはJR貨物が所有するコンテナのほか、カラフルな私有コンテナも適宜混ぜると華やかになる。

一見没個性的なコンテナ列車も、コンテナの積み方、組成、機関車などで個性やこだわりを出すことが可能だ。自分なりの編成美を追求してみよう。

専用貨物の魅力

一方でコンテナではなく専用貨物も魅力的だ。専用貨物は一編成まるごと一社の貨物で編成されたコンテナ以外の列車のこと。

専用貨物はコンテナ車ではないので、どんなものを運んでいるかを容易に想像できるのも魅力。セメント・フライアッシュ輸送ならホキ、石油輸送ならタキといった貨車が使われる。

また、専用貨物ではないが石巻駅から隅田川駅に向かう紙輸送列車のように20両編成のコンテナすべてが赤い19Dコンテナでぎっしり揃った編成美も捨てがたい。こういった統一された編成美も現代貨物列車を象徴するワンシーンといえるのだ。

> **column 昔の貨物列車**
>
> 昔は車扱いといって、駅ごとに車が止まって荷物の積み降ろしをおこない、ヤードで編成を整えて目的地へ向かった。そのため編成も雑多で模型的にも「とりあえず適当に貨車をつないでおけばそれっぽくなる」おもしろさがある。
>
> 「とりあえず貨物」の入門用にぴったりの貨物列車セット。お好みの機関車で牽引しよう。
> ●KATO

車扱い貨物列車の最後尾には車掌車をつなげたい。●KATO

コンテナ以外も活躍

貨物のなかにはコンテナで運べない液体やマテリアルなどもある。これらはタンク車やホッパー車など専用の貨車が使われる。

緑と灰色のツートンカラーの日本石油輸送色。タキ1000 ● KATO

スーパーレールカーゴ

28個のコンテナすべてが佐川急便で揃った『スーパーレールカーゴ』。貨物列車唯一の電車列車である点も珍しい。

M250系スーパーレールカーゴ(新デザインコンテナ) ● KATO

EF66-100(後期型) ● TOMIX、コキ104 ● TOMIX、福山通運レールエクスプレス ● 朗堂

福山通運 グリーンライナー

緑色のコンテナが眩しい福山通運のコンテナ。時代により柄の違いは若干あるが、えんじ色のラインで統一された編成美を見せる。

M250系スーパーレールカーゴ(新デザインコンテナ) ● KATO

西濃運輸 カンガルーライナー

TOMIXより発売されたばかりのカンガルーライナー。東海道本線でも抜群の存在感を見せる。カラーリング的にもEF210辺りに牽引させたい。

長いためひとつ載せることができない。また、緊締装置の位置も専用に用意しなければならないため、現在はコキ106形及びコキ107形だけにしか載せることができない。コキ106 ● TOMIX、商船三井 40ftコンテナ ● トミーテック

海上コンテナ輸送

モーダルシフトの流れを受け、今後鉄道貨物でも積極的に海上コンテナの輸送を行う可能性が出ている。製品こそまだ少ないものの、トレーラーコレクションには国際コンテナが付属するタイプも登場しており、これらを使って海上コンテナ輸送を再現することは可能だ。

専用貨物ならではの編成美

貨物列車にも編成美は存在する。ここでは最近の列車を中心に、
統一された編成美を模型で楽しむための例をあげてみよう。

独自の魅力を楽しむ

　現代の貨物列車は貨物ターミナル間の拠点間輸送のほかに、荷主が引き込み線を工場に敷いて、工場から工場に貨物列車を直行させる運用がある。

　この場合輸送品目は大抵1種類なので、同じ形式の貨車が大量につながる編成が生まれる。同一貨車が連なる美しさは、コンテナ列車とも国鉄時代の車扱い列車とも違う、独自の魅力を放っている。

　長さでいえば、2012年まで運用されていた東海道本線の紙輸送列車はワム380000が40両近くつなげられた。おおむね35両+機関車で、新幹線16両分に相当する長さなので迫力は充分。私鉄でも秩父鉄道のセメント列車は最大20両編成の長さを誇る。

　現代の貨物シーンではタンク車が専貨の代表例。タキ1000形だと積車なら16両くらいで牽引定数いっぱいになるが、中央西線ではこれをEF64が牽引する。その力強さはまさに「THE貨物列車」の迫力に満ちている。

春日井～稲沢紙輸送列車

　2012年まで運行されていたワム38000による貨物列車。長い時には40両以上もワム380000が連なり、二軸貨車独特のジョイント音を楽しませてくれた。機関車は吹田区のEF65やEF66などがメイン。

塩浜～南松本タンク列車

　タキ1000またはタキ4300の10～16両つなぎでそれほど長編成とはいえないが、中央西線のそれはEF64が重連になるのが魅力。力強く定数いっぱいのタンク車を重連で牽引する迫力は模型でもとても魅力的。

秩父鉄道

　現在も旺盛な貨物輸送をおこなっている秩父鉄道は、ヲキフ2両でヲキ8両を挟んだ10両を1組として石灰石列車を組成している。最大編成は2組つないだ20両で、これをデキ500形が牽引する。場合によっては重連運転もおこなっている。

三岐鉄道セメント列車

　三岐鉄道はセメント列車を数多く走らせる鉄道。クリーム色のホキ1100を連ねた編成は圧巻。模型的には6両くらいでも充分サマになるし、もちろん20両近くつないだ迫力ある編成にしてもいいだろう。

国鉄時代の統一編成

国鉄時代はさまざまな行先の貨車をつないで走る貨物列車が主流だったが、なかには拠点間輸送の専用列車も存在した。これらの列車は輸送品目も行き先も揃っているので、同じ貨車が目的地まで長編成連なった姿が見られた。

コンテナ列車のはしりともいえる『たから』号。車掌車も含め緑色で統一された編成が美しい。●KATO

九州などから東京の市場まで高速で鮮魚を運ぶ鮮魚列車で、真っ白なボディが美しい。EF66などに牽引させたい。●KATO

北海道や九州で見られた石炭列車。室蘭本線では50両以上のセキを9600形などが1両で牽引した。●マイクロエース

自動車輸送はク5000。岡多線の北野桝塚から東海道本線を北上した。EH10などに牽引させたい。●KATO

末期はコキ4両＋ワムの編成だったが、模型ではワムだけの編成美を楽しんでもいいだろう。かつてTOMIXからワムの34両セットも発売されている。EF65、ワム38000●ともにKATO

EF64は国鉄色とJR貨物色をお好みでチョイス。タキは季節によって編成長が変わるが、どうせなら16両つないでその迫力を堪能したい。EF64●TOMIX、タキ1000●KATO

パンタグラフは通常片方だけ上げるが、冬季は霜取りのため両方あげて運転される。デキ500、ヲキフ100、ヲキ100●ともにマイクロエース

サンプルでは2012年に運用が終了したホキ10000をつないだ。ED451●マイクロエース、ホキ10000●ポポンデッタ

特殊な貨車で遊ぶ

貨車には「どんな役割で使われているのか」一見してわかりにくいものもある。
それらの貨車の役割を知れば、貨物列車はより楽しくなる。

用途が限られた貨車

　コンテナは現代の貨物輸送に最適化されているので、できることならすべての貨物をコンテナ列車で輸送したい。そのため、コンテナのサイズは12ftから45ftまで各種用意され、液体輸送や残土輸送などの特殊用途にも可能な限り対応している。

　しかし、貨物のなかには物理的にコンテナでは運べないものもある。現代の貨物シーンでは変圧器が代表例。変圧器は大変大きく重いので、車輪を多数装備した特殊な貨車を使用する。

　現代では見られなくなった特殊な貨車といえば、車運車もその部類に入る。完成した自動車を運ぶ特殊な貨車だ。

　こういった貨車はほかの貨車と編成を組むことは少なく、車運車なら車運車だけで編成された。また、大物車は両端にヨ8000を連結するスタイルとなる。

貨物を運ばない貨車

　貨車の世界には貨物を運ばない車両もある。事業用車の部類に入るもので、貨車を転用したものも多数ある。

　たとえば列車が事故を起こした時に復旧用資材を現場まで運ぶ救援車は、側面に大きな扉のある有蓋車を転用しているが、資材の出し入れに都合がいいことが理由だ。

　また、最近ではあまり見られなくなったが、機

操重車・職用車

　列車が転覆事故などを起こした時、現地で車両を吊り上げる車両がソ80。道路事情が悪かった時代には復旧作業に重宝した。また、復旧資材を積んだ職用車もこのカテゴリーに入れていいだろう。いずれも現在では見られない車両だ。

黄色い線が巻かれた職用車。これらも基本的には駅の片隅に配置する貨車。エ1、ヤ500●ともにTOMIX

TOMIXから発売されているソ80。蒸気機関車中心のレイアウトに似合う。●TOMIX

関車が入れないところへ貨車を押し込む際に機関車と貨車の間に挟む控車というものがあった。これにも、チキ7000のような貨車が使われた。

貨車は本来の貨物輸送以外にもいろいろ使われている。実車を研究していろいろな使い道を模索してみるのも楽しいだろう。

控車

連絡船に貨車を載せる際、桟橋に重たい機関車を走らせることはできない。そこで、貨車と機関車の間に控車を数両つなぎ、機関車は控車越しに貨車を押す。桟橋以外にも貨物駅の架線のないエリアで使う控車もある。

架線がなかったり、機関車が入線できない線路に貨車を押し込む際に使うのが控車。DD13●KATO　チキ7000、ワム80000●ともにTOMIX

車運車

かつては完成した自動車を貨物列車で輸送していた。車運車ではク5000が有名。このほか、ピギーバック輸送のクム80000などもこのカテゴリーに入る。

専用のトラックでピギーバック輸送をおこなったクム80000。●TOMIX

完成した自動車を運んだク5000。●KATO

大物車

変圧器を運ぶ大物車は、輸送品目によってシキ600、シキ800、シキ1000などが存在する。いずれも軸重を規定以下に収めるべく、車軸数が多いのが特徴。基本的に専用の編成が組まれ、他車とつなぐことはない。

変圧器輸送用のシキ1000。専用の変圧器キットがイエロートレインから発売されている。●TOMIX

変圧器を組み込んだシキ800。輸送時は両端にヨ8000を連結する。●マイクロエース

貨物駅を展開してみよう

せっかく仕立てた貨物列車なので、運転も貨物列車らしい遊び方をしてみたい。
貨物列車のシステムをうまく模型に落とし込んでみよう。

エッセンスを抜き出そう

日常使っている旅客駅と異なり、貨物駅はどのような構造になっているのかわかりづらい。また、実在の貨物駅のような広いスペースを模型で再現するのも現実的ではない。

そこで、貨物駅の機能をデフォルメし、エッセンスを抜き出してみよう。

貨物を満載した列車はまず到着線に入る。到着線にはホームはないが、フォークリフトがコンテナをトラックに乗せ換えるための待機場が必要なため、線路の脇は道路になっている。

道路を挟んだ側にはトラックが待機しており、フォークリフトはコンテナ車からトラックにコンテナを積み替える。模型的には引き込み線を1線以上用意し、横に道路を敷けば雰囲気が出そう。

実車の貨物駅は広大で、これを模型で再現するのは難しい。うまくエッセンスを取り込んで楽しもう。写真●児山 計

貨物駅を簡単につくる

これを再現するのに最適なのが、ユニトラムをはじめとする路面軌道やKATOから発売されている「貨物駅プレート」だ。路面軌道を到着線に使用し、道路にフォークリフトを待機させる。その向こうには事務所を置いたりコンテナを並べたりすれば雰囲気はバッチリ。

貨物駅をつくって発着させれば、運転と入換の要素を両方楽しめるのでおすすめだ。

コンテナを積もう

貨物駅には空のコンテナが多数積まれている。貨物駅の一角にコンテナを積んだスペースをつくっておくと貨物駅らしくなる。

コンテナの種類は12ftならJRコンテナを中心に、JOTなど比較的よく見る私有コンテナを混ぜて積んでみよう。

細かいことは気にせず、空いているスペースにコンテナを積んでみよう。

今までありそうでなかった貨物ターミナルの製品。

ク50000用自動車積卸装置や、カートレイン用自動車用パレット、乗降台などが付属する。

column
貨物駅のパッケージ

KATOの「貨物駅プレート」は貨物駅を製品としてパッケージすることで、貨物列車の運転をより楽しい世界に変えてくれた。
※写真は試作品を撮影したものです。

軌道／道路ともに実物の舗装面を模したグレー成形色のプレートで構成される。

コンテナの大きさによってはフォークリフトでは対応できないため、トップリフターが使われる。●TOMYTEC

12ftコンテナの移動はフォークリフト。貨物駅でも多数のフォークリフトが活躍しているのでたくさん配置したい。●TOMYTEC

貨物駅で働く自動車

　貨物は旅客と違い自分で列車に乗り降りすることはできないため、フォークリフトが貨物駅には必要となる。

　また、貨物駅から荷主の元へはトラックで輸送する必要があり、貨物駅には常時多数のトラックが待機している。

トラックは輸送規模に応じて、12ftコンテナ1個積みから3個積みまでさまざま。●TOMYTEC

最近では国際海上コンテナや30ft以上のコンテナを搭載するトレーラーもよく見かける。●TOMYTEC

E＆S（着発線荷役）方式タイプの駅を簡略化して上から見た図。トラックに乗せられるコンテナの数と貨物列車のコンテナの数は同じにするのがリアルに見せるコツだ。また、フォークリフトやトップリフターはコンテナ車1両につき1台はほしいところだ。

懐かしの混合列車

貨車と客車を一緒につないだ混合列車は、かつてローカル線でよく見られた。
こうした列車は短い編成が多いので、
小さなスペースで走らせられるNゲージに向いている。
貨車と客車を組み合わせて自分好みの混合列車を仕立ててみよう。

写真◎金盛正樹

貨車の役目と使い方

貨車の形状や機能にはそれぞれ個となる役割が与えられている。
一見似た車両でも、用途が大きく異なることもある。

貨物列車のバラエティ

貨物列車の"お客様"は、人間のように自分で乗り換えたり乗降できないので、車両の形状が荷物に合わせて最適化されなくてはならない。そのため、貨車の形状は積み荷次第で大きく変化するのが貨車のおもしろさ。

荷物の積み降ろしのしやすさを考えれば無蓋車は楽ではあるが、雨に濡れてはいけない荷物には屋根を付けた有蓋車が必要。濡れては困るが換気が必要な荷物もあり、それらには通風車が適している。さらにはセメント、石炭、揮発油など、特殊な輸送品目はそれ専用の貨車が必要となる。

スピードアップも使命

貨物列車の歴史はスピードアップの歴史でもある。できるだけ荷主に速く効率よく荷物を届ける必要から、車両性能の向上や荷役の効率化などがはかられている。

車両面では、ブレーキ性能の強化や枕ばねの二段リンク化でのスピードアップ、車両寸法の見直し、パレット輸送に対応するための改良、輸送単位をあげるための軽量化などがなされている。

特に私有貨車においては、輸送効率の向

(ワム80000)

貨車のなかでも26,605両というぶっちぎりの多数派がワム80000。模型的には茶色、青、白、赤といった色の違いが気になるところ。ワム80000は茶色を基本に、車軸をコロ軸受けに改良したのが青い380000番台、屋根が開いている赤いチップ輸送用の480000番台、鮮魚用の白い580000番台などがある。

基本はこの茶色。グループ内でも屋根を白く塗った車両やリブの本数、ホイールベースの違いなど細かな差異がある。●KATO

車軸をコロ軸受けに改良し、牽引定数を上げた青い380000番台。輸送機能的には茶色の280000番台と同じ。●KATO

別物のワム480000

ワム80000ファミリーのなかで異彩を放つのがチップ輸送用のワム480000。屋根がぽっかり空いており、カテゴリーも有蓋車ではあるが機能的には無蓋車と変わらない。チップ輸送車を増備する際、種車となる無蓋車が枯渇し、有蓋車のワム80000を改造したためこのような状態になった。

一見ワム80000とそっくりだが、引き戸ははめ殺しとなっており開かない。●KATO

(タキ43000 タキ1000)

タキ43000とタキ1000は用途は同じで、タキ43000が43t、タキ1000が45t積みという違いがある。また、最高速度もタキ43000が75km/hなのに対し、タキ1000は95km/hとなる。積載量と速度向上で輸送効率を改善した典型例といえよう。

見た目は大きく変わらないが、タキ1000は積載量が2t増えた。20両編成だとその差は40tとなり、輸送効率の面では無視できない量となる。タキ1000、タキ43000 ●ともにKATO

上は利益率の向上につながるという観点から、しばしばアップデートされる。

こうして貨車の種類は増え、それに合わせてモデルのラインナップも増えた。そのおかげで、さまざまな編成バリエーションを楽しめる。

車掌車

車掌車の歴史は乗務員の待遇改善の歴史といえる。貨車の片隅に小さな業務用室のあったトムフと、ヨ8000では労働環境はまったく異なる。また、台車のバネを変えることで乗り心地の改善もおこなわれている。初期の車掌車は車内で書き物もできないほど振動が激しかった。

ストーブが標準装備されたヨ3500とトイレが付いたヨ8000。車掌車の歴史はこのような設備改善の歴史でもある。ヨ3500 ● KATO、ヨ3500 ● TOMIX

車掌車は原則として編成の最後尾に付く。ヨ6000 ● TOMIX

分解や組立の都合で、車掌車が中間にはいるケースもまれにあった。レム5000、タム500 ●ともにTOMIX、ヨ3500 ● KATO

分解や組立の都合で、車掌車が中間にはいるケースもまれにあった。レム5000、タム500 ●ともにTOMIX、ヨ3500 ● KATO

東武鉄道の「SL大樹」では、車掌車に保安装置を搭載して運行している。編成美の面ではヨ5000を使いたかったが、すでに全廃された車両の再認可は困難だった。だが、稼働車両が残っているヨ8000であれば認可手続きが容易だったため、ヨ8000が使われた経緯がある。なお、南栗橋には認可を断念したヨ5000が保管されている。
●マイクロエース

機関車を使いこなす

固定編成の電車と異なり、貨物列車は機関車と貨車の組み合わせで多彩に楽しめる。
機関車の使い分けを知って、楽しく貨物列車を走らせよう。

機関車で路線をイメージ

貨物列車は原則として日本全国どこへでも運用できるようになっている。

しかし、機関車は路線の設備によっては付け替えなくてはならない。直流区間、交流区間のどちらを走るのか、それとも非電化区間なのか。直流機、交流機、交直流機、ディーゼル機関車など、路線にあった機関車を付け替えて走る。

同じコンテナ列車でもEF510レッドサンダーが牽引すれば北陸・羽越本線のイメージに、EF210が牽引すれば東海道・山陽本線のイメージとなる。コンテナ編成を1編成仕立て、機関車を交換して遊ぶのも模型的には楽しいだろう。

また、勾配線を演出するなら重連や補機の連結もいいだろう。たとえば、コンテナ列車の最後部に、後押しするEF210をつなげ

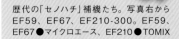

歴代の「セノハチ」補機たち。写真右からEF59、EF67、EF210-300。EF59、EF67●マイクロエース、EF210●TOMIX

（ セノハチ ）

碓氷峠なき今、補機をつなぐ有名な区間といえば山陽本線の瀬野～八本松間。模型では両端に動力車をつなぐため運転に若干の注意が必要だが、その迫力はそれを克服したくなる魅力がある。

ることで、お座敷レイアウトでも瀬野八の雰囲気を楽しめる。

役割別に楽しむ機関車

貨物列車の機関車は、運用によっては途中で機関車を交換する。そういった交換シーンを模型に取り込んでみてもいいだろう。

たとえばエンドレスを本線に、小さな支線を私鉄に見立てる。エンドレスの貨物列車の一部を切り離して入れ換えをおこない、私鉄の機関車につないで支線を走らせるといった遊び方も貨物列車ならできる。

実車にこだわらず機関車の入れ換えや交換、重連などいろいろな遊び方をしてみよう。

最急22.6‰の上り勾配が続くセノハチを、EF210がコンテナ列車を後押しして突き進む。EF210、コキ104、227系●ともにTOMIX

（ 重連 ）

重量級の貨物列車や勾配区間用に、機関車を２台つなげるのが重連。模型ではあくまでも雰囲気だが、勾配のあるレイアウトならリアリティも増す。

紙輪送列車の梅田〜京都間では回送の機関車との重連がおこなわれたことがある。平坦線でも重連がおこなわれる例。EF200、EF65、ワム380000 ●ともにKATO

（ 私鉄の機関車 ）

数は大幅に減ったものの、貨物輸送をおこなう私鉄は今でも存在し、専用の機関車を持っているところも少なくない。JRの貨物列車よりは編成は短いものの、それでも10両以上の長編成で走る姿は迫力がある。

私鉄の機関車はJRのそれより若干小さく、カラフルな車両が多い。ED50 60 ●トミーテック、E851、ED11、ED402 ●ともにマイクロエース

（ 入換機 ）

貨物駅では入換専用の機関車が貨車の移動や組み立てをおこなっている。かつてはDE10やDD13などがその任を負っていたが、現在ではハイブリッドのHD300が主力。しかし、Nゲージでは完成品がまだ発売されていないのが残念。

完成品ではまだ発売されていないHD300。発売が強く望まれる車種だ。写真◎編集部

国鉄時代はDD13が入換用に使われていた。時代に合わせてDE10と使い分けたい。●KATO

現在も少数が使われているDE10だが、多くはHD300に置き換えられた。●KATO

模型でアレンジする貨物列車

貨物列車の製品はたいへん充実しているが、どのように遊べばいいのだろうか。
実車のテイストを活かしつつ、模型的なアレンジを考えてみよう。

貨物列車は妥協が肝心

　Ｎゲージにおいて、貨物列車と新幹線はどこかで妥協が必要となるジャンルだ。どちらの列車も長編成で、たとえば東海道本線のコキ24両1200t列車だと、Ｎゲージでも全長は3mを超える。ワム380000の36両でおおよそ新幹線16両分、2.5mほどになる。

　長大な貨物列車を大きなレイアウトで走らせれば確かに楽しい。しかし、自宅でこれを実践すると、スペース次第では機関車が自分の最後尾を追いかけるようなことになりかねない。

　そこで、編成やシチュエーションの妥協が必要となる。できるだけ貨物列車の迫力と雰囲気を壊さずうまくアレンジしたいところ。

編成？状況？どちらを優先

　まず思いつくのは編成を短縮する方法。コキ24両は長すぎるが、10両ならおよそ1.5m以内に収まる。畳1枚のスペースに走らせると直線には収まらないが、まずまず妥協できる長さ。

　機関車を変えてみてもいいだろう。コキ10両で牽引機がEH500だと少し短く感じるが、これをDE10にすれば石巻貨物のフル編成となる。

　さらにシチュエーションを動かせば、中央西線の石油輸送列車はタキ10両をEF64が重連で牽引している。これなら短い編成でも迫力は損なわれないといえよう。

　また、エンドレスで走らせることをあきらめて貨物ヤード内での入れ換えに徹すれば、編成にする必要すらない。マグネマティックカプラーを活用し、貨車の付け替えをおこなうと、時の経つのを忘れるほどおもしろい。

　編成の長さにこだわるなら短い貨車を連ねてもいいだろう。コキ6両の長さなら、ワム80000だったら12両つなぐことができる。長さは変わらなくても、二軸車の「タンタンタンタン…」というジョイントを楽しみながらゆっくり走らせると意外と長く感じる。

　いろいろな「理屈」をつけて、場所に応じた最適な遊び方を考えてみるのもまた、貨物列車の楽しみ方だ。

ポイントが3台もあればかなり複雑な入れ換えが楽しめる。DE10、タキ1000●ともにKATO、コキ104●TOMIX

TOMIXからは入門用のセットでも入れ換えを楽しめるものがある。電気機関車 Ｎゲージ鉄道模型ファーストセット●TOMIX

シチュエーションを変えてみよう

　編成を組んだ列車が本線を走るのではなく、貨車の入れ換えをメインに遊ぶとスペースはほぼ最小限で楽しめる。入れ換えをゲーム感覚で楽しんで、組成した車両をエンドレスで走らせてもいい。

column

長編成を楽しみたい！

　どうしても長編成を楽しみたいのであれば、レンタルレイアウトに出掛けるのが手っ取り早い。新幹線16両が走行可能なコースであれば、コキ20両程度の列車を運転できる。

　自宅で長編成を楽しむ場合は、できるだけエンドレスの直線区間を長く取るのが楽しむコツ。

長編成貨物を楽しむプラン例。貨物駅は4線を用意し、それぞれに6両ずつ停めることで24両を貨物駅に収納できる。寸法は畳1枚を少し超えるが、それなりに遊べるプランだ。

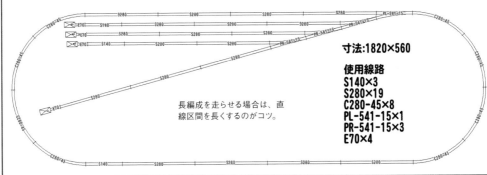

長編成を走らせる場合は、直線区間を長くするのがコツ。

寸法:1820×560

使用線路
S140×3
S280×19
C280-45×8
PL-541-15×1
PR-541-15×3
E70×4

短い列車を たくさんつなぐ

　コキ100だと4両しかつなげないスペースでも、ワム80000なら7～8両つなぐことができる。さらに短いワラ1などであればもっとつなげる。編成長が伸びたわけではないが、同じ長さでも車両が増えると長く感じる「錯覚」を利用し、長編成を楽しんでみる方法もある。

小型貨車であれば同じ長さでも多くの貨車をつなげられる。
DE10●KATO、コム1、チ1、カ3000、トラ45000、タム500、ワラ1●TOMIX

全長の長いコキの場合、連結両数が短いと実車と比較すると短く感じてしまう。DE10●KATO、コキ104●TOMIX

混合列車

　もともと編成が長くない列車のモデルを選ぶというのもひとつの遊び方。

　混合列車であれば駅の有効長の問題もあり、それほど長くなくても「短い」という不満はあまり感じない。

　また、機関車ではなく気動車や私鉄電車に貨車を牽引させれば2両でも違和感はない。

混合列車は北海道では機関車＋客車＋貨車、それ以外では機関車＋貨車＋客車の順につなぐのが原則。DD13、オハ61●KATO　ワラ1、タム500、ヨ6000●ともにTOMIX

貨物列車NOW

新型機の動向や塗装変更など、貨物列車の姿は刻一刻と変わっている。
そんな貨物列車の「いま」を追ってみよう。

消えるJRFマーク

　現在JR貨物では、コンテナや機関車から
JRFマークが削除されている。大きく入って
いたロゴが消えたので、見た目の変化として
はかなりインパクト大。

　特にコンテナはロゴの削除に合わせて白線
やキャッチフレーズも消えたため、見た目がた
いへん地味な印象となった。

　さらにEF210形はロゴが消えただけではな
く、塗装が変更され桃太郎のキャラクターラッ
ピングもなされている。EF210形の印象は
これから大きく変わっていきそうだ。

「過渡期」を楽しもう

　鉄道の場合、車両の塗装が一斉に変わる
わけではなく、入場のたびに塗り替えられ、
数年かけて変わっていく。

　その観点から、模型の世界でもその過渡
期を楽しんでみてはいかがだろうか。特にコ
ンテナは日本中を移動するので、新塗装と旧
塗装が入り交じる期間は長い。すでに19D、
V19Cといったメジャーなコンテナは製品化さ
れているので、今持っている編成に新塗装の
コンテナを少しずつ混ぜて「今風」の編成を
仕立ててみるのもおもしろい。

　機関車もEF64の重連であれば、片方をロ
ゴマークなしにして変化を楽しんでみるのも

JRFマークがなくな
りシンプルな外観
となった19Dコン
テナ。●KATO

こちらは通風コン
テナのV19C。
こちらもシンプル
な外観となった。
●TOMIX

コキ100からも徐々に
JRFマークが消されつつある。
●TOMIX

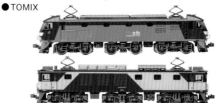

機関車からもJRFマークが消えて側面の印象が
変わった。TOMIXからは現行塗装のEF210と
EF64が発売された。●ともにTOMIX

いいし、愛知機関区の入れ替わりを模型で
再現してみてもいいだろう。

　コンテナ列車が並ぶ貨物列車の世界は、
一見変化が少ないように見える。しかし、は
まればはまるほど「微妙な違い」が見えてく
る。実車を観察し、機関車やコンテナを自分
流にアレンジしていくのもまた貨物列車のおも
しろさなのだ。

新旧コンテナが混ざった状態で運
用されるのはまさに「今」の姿。コ
キ104、19Dコンテナ●KATO

過渡期を楽しむ

　塗装変更の過渡期は新旧デザインが入り混じって
運用される。

　旅客列車なら編成ごとに塗装が変わっていくが、コ
ンテナの場合はコンテナ単位で置き換えられるため斑
になる。JRコンテナばかりの編成でも新旧コンテナ
を混ぜると印象ががらりと変わるのだ。

コンテナを深く知る

現代の貨物列車はコンテナ列車が主流。
色とりどり、さまざまな形態のコンテナを積載した列車が全国を駆け巡っている。
ここではコンテナ車やコンテナの種類、役割を紐解いてみよう。

現代の物流スタイル

なぜ貨物はコンテナ列車ばかりになったのか。
コンテナのはじまりや、その運用について学ぼう。

より速く荷物を運ぶ

　その昔、貨物列車は行き先がバラバラの貨車を連結し、途中で増解結を繰り返しながら輸送していた。しかしこの方式では時間が掛かるだけでなく、到着予定時刻も読みづらいという不便があった。そこで、ある程度の輸送需要がある区間においては貨物駅に積荷を集約し、目的地まで直行してコンテナごとにトラック輸送する方式が開発された。これが現在の貨物輸送で主流となっているコンテナ輸送だ。

　かつては到着駅で貨車から積荷を降ろし、そこから改めて目的地に運ぶか別のトラックを手配して荷主に送る必要があった。それがコンテナごと荷主から荷主に直行できるため、利便性も大幅に上がった。

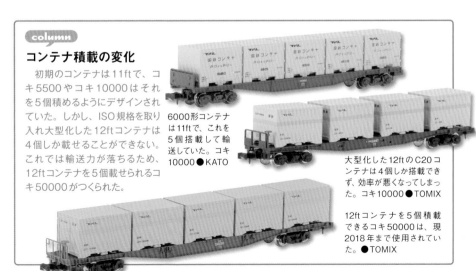

column

コンテナ積載の変化

　初期のコンテナは11ftで、コキ5500やコキ10000はそれを5個積めるようにデザインされていた。しかし、ISO規格を取り入れ大型化した12ftコンテナは4個しか載せることができない。これでは輸送力が落ちるため、12ftコンテナを5個載せられるコキ50000がつくられた。

6000形コンテナは11ftで、これを5個搭載して輸送していた。コキ10000 ●KATO

大型化した12ftのC20コンテナは4個しか搭載できず、効率が悪くなってしまった。コキ10000 ●TOMIX

12ftコンテナを5個積載できるコキ50000は、現2018年まで使用されていた。●TOMIX

鉄道貨物輸送を支える
JR貨物の機関車

貨物列車の牽引には機関車は欠かせない。ここではJR貨物で活躍している機関車を中心に、どういった用途で使われているのかを解説する。編成を組む際、参考になるはず。

▶▶▶ EH500

東北本線の貨物列車が途中で機関車交換することなく走れるように開発された交直流電気機関車で、首都圏～東北方面での活躍が中心。青函トンネルが新幹線対応になる前は、函館（五稜郭）までの運用もあった。このほか、日本海縦貫線で走らせるための改造が一部施されている。●TOMIX

▶▶▶ EH800

北海道新幹線の開通に伴い、青函トンネルの架線電圧は交流2万5000Vとなった。従来の機関車では走行できないため、青函トンネル通過専用の機関車が必要となり開発された。運用は東青森～五稜郭間。運転区間はすべて交流区間となるため、JR貨物の新造機としては初の交流専用車となった。●TOMIX

▶▶▶ EF510

東北本線や日本海縦貫線のEF81を置き換える目的で製造された。大阪～青森の日本海縦貫線での運用が中心だが、一部運用では東海道本線を経由して名古屋に、山陽本線を経由して岡山にも顔を見せるなど、運用範囲は意外に広い。また、2022年からは東海道本線の大府駅と美濃赤坂駅、中央本線の多治見駅までの運用も開始した。●KATO

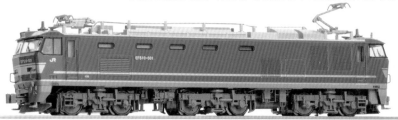

EF510
（カシオペア色）

JR東日本所有の500番代のうち509・510号機は『カシオペア』用塗装となっていたが、『カシオペア』廃止後の2015年にJR貨物に移籍。EF510は北斗星色も貨物を牽引しており、カシオペア色も銀色のまま日本海縦貫線で活躍している。JR貨物移籍後に各種装飾が剥がされ、銀一色となった。●KATO

EH200

中央本線のEF64重連を置き換えるために製造された機関車で、勾配線を克服するためのH型機。中央本線のほか、連続勾配が続く上越線でも使われる。現在は他の番台と共通運用になっている。なお、現在は他の番台と共通運用になっている。●TOMIX

EF210
300番代

山陽本線瀬野～八本松間のいわゆる「瀬野八」で、1300t貨物列車の後押しをするためにEF210に大容量の連結緩衝器を付加した番代。なお、現在は他の番台と共通運用になっている。●TOMIX

EF210

東海道・山陽本線の汎用機として登場。EF66と同程度のパワーを持ち、最大26両のコンテナ列車牽引を担当するほか、西濃鉄道のホキ2500／9000を16両連ねた石灰石輸送列車や首都圏のタンク列車に充当されることもある。また、ワム380000を連ねた紙輸送列車などの牽引実績もある。●TOMIX

▶▶▶ EF210 （ロゴなし）

EF210のうち、105号機のみは2017年の全般検査の際に「JRF」のロゴが省略されて登場した。旧塗装のJRFロゴなしは105号機だけの特徴なので、模型で機関区にEF210が並んだときに1両だけJRFロゴなしの車両が配置されているとよいアクセントになる。● TOMIX

▶▶▶ DF200

北海道向けとして1994年に登場した電気式ディーゼル機関車で、愛称は『ECO POWER RED BEAR』。エンジンを変更した50番代やインバーター制御装置を変更した100番代がある。2016年からは100番代に防音強化を施した200番代が登場。2023年1月から201号機にラッピングが施され、「Ai-Me（アイミー）」の愛称で運行を開始した。● TOMIX

▶▶▶ EF65 1000番代

かつては国鉄直流電気機関車最大所帯を誇った当形式も、EF210への置き換えが徐々に進んでいる。国鉄時代からさまざまな種類の貨物列車を牽引しているので、それらを調べて編成を仕立てるのも楽しい。JR貨物2次更新色塗装をはじめ、特急色が施された復活国鉄色が活躍している。● KATO

▶▶▶ EF64 1000番代

上越線用として製造された、勾配線区用向け直流電気機関車。中央西線を重連で力強く走行する姿は、模型でもぜひ再現したい編成のひとつ。このほか、東海道本線や伯備線での活躍もファンには知られているが、首都圏での運用は2021年のダイヤ改正で終了した。● KATO

EF66
100番代

国鉄時代に3900kWの大出力を売りに製造された機関車で、かつては高速貨物牽引の主役だった。現在、0番代は27号機が1両残るのみであとはすべて100番代。100番代は東京ターミナル、新鶴見～高崎操車場、吹田ターミナル～東福山間など使用されているが、15両程度が残るのみ。●KATO

EF67

瀬野～八本松間での後押し用機関車として1982年に登場。改造元の形式の違いで0番代と100番代が存在する。基本的に貨物列車の後補機専用で先頭に立つことは原則としてない。なお、最後まで活躍した105号機も2022年に引退した。●マイクロエース

EF81

かつては日本海縦貫線や東北本線、常磐線などでも活躍していたが、現在は門司機関区の10両が貨物列車の牽引を担当している。旅客会社にも10両が残存するものの定期運用はすでにない。現在稼働しているEF81は300番代や450番代・500番代なども含まれており、形態のバリエーションは豊富。●KATO

ED76

国鉄時代に製造された交流機。現在は九州島内の北九州～鹿児島などで10両が運用されている。九州エリアの大部分では軸重の関係からED76の運用が続いていたが、EF510形300番台の投入により、2025年度中に置き換えが完了する予定。●TOMIX

►►► **DE10**

入換およびローカル線の貨物列車牽引などを目的に製造された機関車。最高速度が85km／hと低いため入換運用がメインで、2022年3月のダイヤ改正で定期運用から外れた。国鉄時代の機関車ゆえに老朽化が進行し、入換機はHD300、本線用はDD200などに置き換えが進んでいる。●TOMIX

►►► **DD51**

国鉄時代に製造されたディーゼル機関車。かつては日本全国でみることができたが、2021年3月もって全車両の運行が終了した。2022年まで愛知機関区に6両が残存していたが、2023年3月までに全車が解体された。●TOMIX

牽引装置の工夫

　機関車が起動すると、後部に連なる貨車の重さで機関車の車輪ごとにかかる力がばらついてしまい、力をうまく路面に伝えられない。そこで電気機関車では台車の牽引装置を工夫し、台車と車体をつなぐリンクをトルクが効率よく伝達できるようにしている。模型では台車の首振りの関係上省略されていることもあるが、EF200などはリンク機構が台車に表現されている。

KATOから製品化されているEF200では中間台車に動力伝達のリンク機構が表現されている。

JR黎明期の試作車

　JR発足後から90年代初期にかけて、JR貨物はより牽引力の大きい高性能機を開発すべく、機関車メーカーに製造を依頼し試作した。そのなかで直流用のEF200は実用化したものの、交直流のEF500やメーカーからJR貨物に貸し出して試験をおこなったED500などは試作車のみの製造で終わった。

試作のみで終わったED500。Nゲージではクラフト工房ていくわんから完成品を発売されたが、現在は完売。

JR東日本のED75

ED75はJR貨物からはすでに全機廃車されたが、JR東日本には数両が残存している。定期運用はすでになく、工臨や甲種車両輸送などがおもな用途だ。しかし、JR東日本はE493系の投入に伴い、EF64がまず置き換え予定だが、ED75の将来も予断を許さない状況だ。

かつては東北筋のブルートレイン牽引でも活躍した。●TOMIX

column
ついに製品化される DD200

JR DD200 0形
ディーゼル機関車

DD200形はDE10形の置き換え用として2017年に登場した電気式ディーゼル機関車で、従来DE10形が行っていた主幹区における各地の駅構内入換作業や、貨物列車の本線での入換作業、北海道・四国を除く全国各地で活躍しています。製品はDD200形を新規製作で再現、ナンバープレートはパーツでDD200-9・12・16・21が選べます。

TOMIX

前面手すり部に設置されたヘッドライトも再現される。（写真◎株式会社トミーテック）

DE10の後継として入換だけでなく、本線運用も可能な電気式ディーゼル機関車DD200が2017年に登場した。現在では北海道・四国を除く全国各地で活躍しており、京葉臨海鉄道、水島臨海鉄道、JR九州などでも導入された。なお、Nゲージでは、TOMIXから2024年にリリースされることが決定した。

九州向けEF510形式
交直流電気機関車

九州地区用のEF510形300番代のうち、量産先行車である301号機を新規製作。●TOMIX

九州で運行されているED76形およびEF81形の置換用として導入されたEF510形。本州で運行しているEF510形式とは異なる仕様で、交流回生ブレーキを装備。これに合わせて車体の塗装も変更され、従来のEF81形（303号機等）で親しまれている銀色をベースとし「ECO-POWER レッドサンダー」の愛称を継承。

ハイパワーがあだとなった
悲劇の機関車

EF200は6000kWの大馬力で1600t牽引にも対応している。将来的にはコキ車32両の運転まで考慮されていた機関車だが、パワーを上げるには大電力が必要で、地上設備の大幅な増強が必要とあり輸送力強化は残念ながら頓挫。EF65などよりも早く全機が引退してしまった。

幻となった1600t牽引貨物列車を再現してみるものおもしろい。●KATO

走らせても眺めても楽しい
貨物駅をNスケールで再現する

旅客列車に駅があるように、貨物列車にも駅がある。
「貨物駅」を再現すると模型の貨物列車はさらに輝きを増す。
貨物列車をより楽しむことができるので、ぜひチャレンしてみよう。

フォークリフト トップリフター

コンテナの周囲には作業用のクルマを配置すると雰囲気が出る。12ftコンテナにはフォークリフトを、20ft以上のコンテナにはトップリフターが必要だ。できればコキ1両につき1台以上の割合で配置したい。実際の貨物駅では多数のフォークリフトが短時間で荷役をおこなっているのだ。

コンテナをトラックに載せ替えるフォークリフトやトップリフター。これらがあることで貨物駅の風景が活気づく。●KATO

トラック

貨物駅に到着したコンテナを荷主のもとへ運ぶトラックも貨物駅には欠かせない。ジオコレの「トレーラーコレクション」にはコンテナ輸送に適したトレーラーが多数ラインナップされている。

「トレーラーコレクション」のトレーラーは貨物駅の再現には欠かせない。●トミーテック

駅を拠点に貨物列車を走らせる

現代の貨物駅はトラックなどが運んできたコンテナを貨物列車に積載したり、あるいは到着した貨物列車からコンテナをトラックに載せ替えて荷主のもとへと送り届ける中継地点の役割を担っている。

Nゲージでコンテナの積み下ろしを再現するのは難しいが、貨物駅で荷役が終わったコンテナ車を機関車に連結して発車。エンドレスを周回して再度貨物駅に到着、といった運転をすると、エンドレスをぐるぐる

まわるだけよりもずっと楽しめる。

ここではKATOの「貨物駅プレート」をメインに、いくつかのアクセサリーを並べて貨物駅の一部を再現した。実際の貨物駅をそっくり再現するのはスペース的に難しい場合が多いが、エッセンスをうまく取り出して楽しんでみよう。

延長セットひとつで、コキ2両分延長できる。

詰所

貨物駅には荷役事務をおこなう建物や一時預かりの倉庫などが併設されている。これらの建物は既存のストラクチャーをうまく活用して、それらしくまとめたい。詰所であればKATOの「詰所」、倉庫ならさんけいのペーパーキット「倉庫2」やジオコレの「トラックターミナル」の倉庫などが使える。

拡張して楽しもう

KATOの貨物駅プレート基本セットを展開すると、おおむねコキ5両分のスペースとなる。しかし、実際の貨物列車は長いもので20～26両編成。実車にこだわるなら、別売されている延長セットを入手してできる限り広げてみたい。

周囲に並べたい車両たち

貨物駅をつくるのであれば、構内の入換は専用の機関車を使いたい。本線を走ってきた機関車を切り離し、入換機関車にスイッチしてコンテナ車の出し入れをおこない、編成が整ったら再び本線用機関車に付け替えよう。入換機にはDE10などを使うといいだろう。

DE10はTOMIX、KATO、マイクロエースなどから製品化されている。
●TOMIX

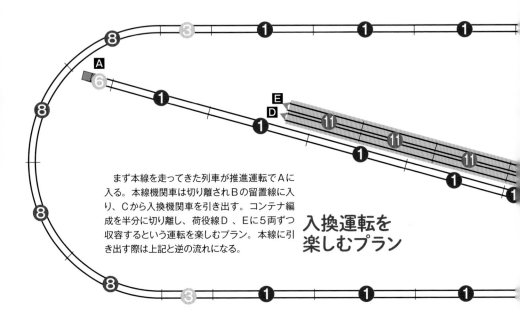

まず本線を走ってきた列車が推進運転でAに入る。本線機関車は切り離されBの留置線に入り、Cから入換機関車を引き出す。コンテナ編成を半分に切り離し、荷役線D、Eに5両ずつ収容するという運転を楽しむプラン。本線に引き出す際は上記と逆の流れになる。

入換運転を
楽しむプラン

実際に組んで遊ぼう
おすすめプラン2種

貨物駅を活用するにはどんな線路配置がいいだろうか。
ここではスペース重視と運転重視の2パターンについて解説する。

走らせるだけではつまらない

　貨物駅を再現するのであれば、停車して折り返すだけの運転で終わるのはもったいない。どうせなら機関車を交換する入換や、貨物列車編成の増解結など、現実でおこなわれている作業のエッセンスを取り入れたい。

　そういった要素を詰め込んだのが上のプランで、10両程度のコンテナ列車の入換を楽しむことができるように考えた。本線用と入換用でコントローラーが2台必要だが、その分複雑な入換を楽しめる。さらにマグネマティッ

クカプラーを装備して自動解放を取り入れれば、さらにリアルな運転もできる。

　しかし、こういった運転をするにはある程度のスペースが必要で、限られたスペースで遊ぶ場合にはある程度の妥協が求められる。そこで、畳1枚程度のスペースで遊べるよう考えたのが右のプランだ。入換を貨物駅上でおこなうことにして発着線を削除し、本線上で機関車交換をすることにしている。

　スペースと予算を考えながら、自分なりに楽しめるプランで楽しもう。

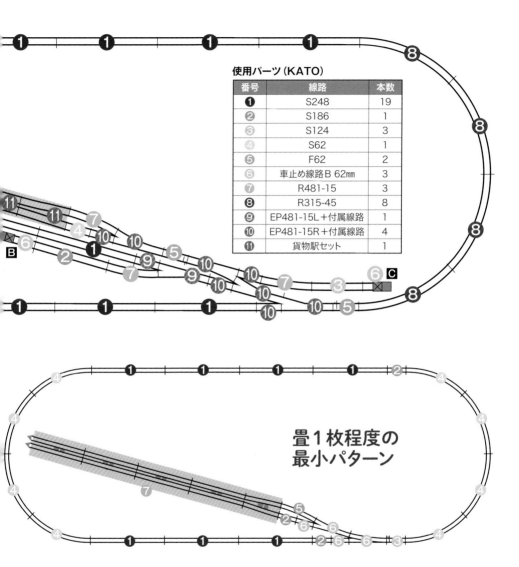

使用パーツ（KATO）

番号	線路	本数
❶	S248	19
❷	S186	1
❸	S124	3
❹	S62	1
❺	F62	2
❻	車止め線路B 62mm	3
❼	R481-15	3
❽	R315-45	8
❾	EP481-15L＋付属線路	1
❿	EP481-15R＋付属線路	4
⓫	貨物駅セット	1

畳1枚程度の最小パターン

こちらは到着線を省略していきなり荷役線に貨物列車が入線する。この場合は入換機を使用せず、本線用の機関車が5両ずつそれぞれの荷役線にコンテナ車を収容する形になる。発車の際は逆手順で編成を組成し本線に戻っていく形となる。

使用パーツ（KATO）

番号	線路	本数
❶	S248	7
❷	S62	3
❸	F62	1
❹	R282-45	8
❺	R481-15R＋付属線路	1
❻	EP481-15R＋付属線路	2
❼	貨物駅セット	1

Nゲージで賑やかなヤードを
再現しよう！

貨物駅は荷物の積み卸しに従事するフォークリフトや、
コンテナを運ぶトラックの出入りで賑わう。
実際の貨物駅を再現するのはスペースの問題もあり難しいかもしれないが、
情景の一部を切り出して、荷役作業や入れ換え運転で遊んでみよう！

写真◎金盛正樹

バリエーション豊かなラインナップ
遊びの幅を広げるアイテム

長大なコンテナ列車の再現には憧れるが、実際には難しい。
それなら短編成やバリエーション、状況設定にこだわって別視点からリアルを追求してみよう。

無限に広がる世界

　工場への引込み線ではスイッチャーと呼ばれる小型機関車が数両のコキを牽引して入換する姿も見られる。これならテーブルトップで再現できる。

　車掌車の連結が廃止されて以降、貨物列車の最後尾には反射板が設置されるだけになり、寂しい雰囲気になってしまった。しかし、北海道方面へ向かうコキにはテールライト付きのものが使用され、模型でもそれが再現されている。こうした「光もの」を取り入れると短編成で走らせてもアクセントになる。

　また、各メーカーからは多数のコンテナが発売されているので、いろいろな機関車・貨車・コンテナを組み合わせれば、遊び方は無限に広がる。

2軸のコンテナ

　コム1は北海道の支線で活躍したコンテナ車で、11ftコンテナ2個を搭載できる。12ftコンテナには対応していないため1977年までに全廃された。模型ではC11などの機関車が牽引する貨物列車に1〜2両つなぐと雰囲気が出る。

コム1形はトミーナインスケールの時代から発売されている長寿製品。●TOMIX

クルマを運んだカーゴコンテナ

　かつて自動車を輸送していたコンテナが存在した。コキ71形は、自動車と12ftコンテナのいずれも積めるコンテナ車として開発。自動車を積載した場合の汚損を防ぐためカバーが装備された。

「CAR RACK」のロゴがあるカバーが特徴のコキ71。変わり種の列車再現にピッタリ。●マイクロエース

北海道新幹線の開業で青函トンネル内で新幹線と貨物列車のすれ違うことになった。テールライト付きのコキを使って、シーンを再現してみよう。H5系、コキ107●ともにTOMIX

特別な貨物列車を再現

2018年7月に西日本を襲った豪雨の影響で山陽本線も被害を受けた。
その際、貨物列車が山陰本線を迂回して運行されたが、
普段は使用されない愛知機関区のDD51が牽引に当たった。
その時の列車を再現してみよう。

再現に必要な
車両やコンテナは
これ！

DD51 800
愛知機関区JR貨物色

愛知機関区所属機の特徴のひと
つ、前面下部の車上子保護板の
ディテールも忠実に再現。スノー
プロウは交換用部品として付属。
実際に迂回貨物の牽引を担当し
た1802号機、1804号機のナン
バーも付属している。●KATO

コキ104

製品は18Dコンテナを積載したも
のと無積載のものの2種類をライ
ンナップ。迂回貨物の積載コンテ
ナは19Dがメインだったので、別
途用意する必要がある。●KATO

コンテナ

19D ●TOMIX　　　UR19A●朗堂　　　20ftISOタンクコンテナ
●ボボンデッタ

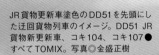

JR貨物更新車塗色のDD51を先頭にし
た迂回貨物列車のイメージ。DD51 JR
貨物新更新車、コキ104、コキ107●
すべてTOMIX。写真◎金盛正樹

コキ100

コキ101

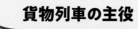

貨物列車の主役

「コキ」を

コキ104

コキ106

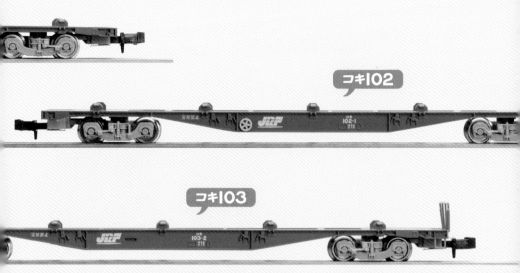

コキ102

コキ103

知ろう!

現在の貨物列車はコンテナを積載する「コキ」が主力。
ぱっと見同じように見える「コキ」だが、実際にはいくつかの種類がある。
ここではコキ100系を中心に模型での使い分けを解説したい。

コキ105

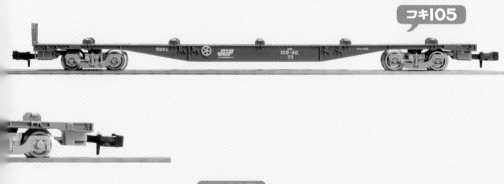

コキ107

コキ100系の進化と模型での楽しみ方

現在のコンテナ列車はコキ100系が主力だ。
輸送目的はいずれも同じだがさまざまな形式が存在するのは、
より運用しやすいように進化を続けているからだ。

コキ100系は多彩なコンテナをより速く、より安く荷主のもとに届けられるよう改良を繰り返している。

より廉価に、より速く

　貨物列車は荷主から預かった荷物を目的地に運ぶための輸送手段だ。いうまでもなく、利益を出さねばならず、儲けを生むためには安全を脅かさない程度に輸送コストを下げる必要がある。

　貨車は旅客列車のようにモーターも付いていなければ接客設備もなく、構造はいたってシンプル。しかし、両数が必要となるため製造費はそれなりにかかる。そこで2両ないし4両を1単位として主要な機器をひとまとめに集約し、製造コストを下げようと考えたのがコキ100・101・102・103・105形の各型式だ。

　コキ100・101はブレーキ電磁弁をコキ101形に分散搭載。コキ102・103はコキ102の偶数車にブレーキ電磁弁を一括して搭載し、製造コスト低減と整備性の向上を図っている。コキ105形は偶数番号と奇数番号で2両のユニットを組むことが特徴となっている。

　模型でもこれらの車両は4両セットもしくは2両セットで販売されているので、車両セット単位で編成に組み込もう。

扱いやすいのは1両単位

　製造コストを下げるために2両・4両ユニットのコキを製造したものの、途中駅で解結する必要性が生じ、4両ユニットではきめ細かい運用ができない。そこで1両単位のコンテナ車も必要となり、生まれたのがコキ104形だ。

　さらに車高の高いISOコンテナ（ISO国際規

格によりサイズと重さが規定されたコンテナ）を積載可能なように改良されたのがコキ106形で、コキ106形を軽量化し、取りまわしを容易にしたのがコキ107形といった形で進化している。コキ106とコキ107も1両ユニットの車両だ。

　コキ100系グループは外観では違いがわかりづらいが、より運用しやすいように進化しているといっていいだろう。

コキ100系の登場の流れ

コキ100（試作）
- 背高コンテナ対応、最高速度110km/h
- デッキなし4両ユニット

↓

コキ100・101
- デッキを付けたコキ101とコキ100を組み合わせ4両ユニットに

↓

コキ102・103
- コキ100・101をコストダウン

↓

コキ104
- 1両単位で運用できるコンテナ車として登場

↓

コキ105
- コスト削減のため2両ユニットに

↓

コキ106
- 総重量20tと40ftのISOコンテナに対応

↓

コキ107
- コキ106の改良およびコキ50000の置き換え用

↓

コキ110
- 15ftコンテナ積載用として登場

↓

コキ200
- 総重量24tのISOコンテナ2個積みに対応

コキ100系以前のコンテナ車

国鉄時代にもコンテナ用の貨車は存在し、貨物輸送の効率化＆高速化に対応していた。
ここでは国鉄時代の代表的なコンテナ車を紹介する。

(チキ5500／コキ5500)

コンテナを積載して高速で貨物駅間を結ぶ専用車両として1962年より製造。最高速度は85km/hで、模型ではEH10やEF65の0番代などの機関車に牽引させるといい。東海道本線での最大編成は24両。車両は2000年代に入っても残っていたが、全盛期はやはりコキ100系登場以前、すなわち国鉄時代となる。

Nゲージではでは TOMIX、KATO から製品化されている。KATOはコンテナ5個積み時代、TOMIX は4個積みの25500番代がプロトタイプだ。●河合商会

(コキ10000)

最高速度100km/hに対応した高速コンテナ車。1966年に登場し、東海道本線を最大20両でEF65の重連が牽引した。1968年にはEF66形の量産車が登場し、コキ10000形の先頭に立って活躍している。空気バネとブレーキの装備の関係で製造コストが高いため、後にコキ50000にバトンタッチすることになる。

KATOのコキ10000は旧モデルだが1両770円と廉価なのが魅力。TOMIX製品は2006年製品でディテールも現代の水準となっている。●KATO

(コキ50000)

コキ5500よりも全長を伸ばして20ftコンテナを3個積載できるようにした形式。また、最高速度こそコキ10000より一歩劣る95km/hだが、ブレーキの改良により牽引機関車や混結の際の連結両数の制約がなくなるなど汎用性は向上している。そのため列車によってはコンテナ車以外の貨車との連結もおこなわれていた。

2018年まで活躍していたのでコキ100系との連結もみられた。JR時代を再現するならグレー台車、国鉄時代なら黒台車の製品を選ぼう。●TOMIX

(コム1)

コム1は北海道用に40両がつくられた二軸のコンテナ車。11ftコンテナ2個を積載できる。TOMIXが古くから模型化しているため入門用に購入した人も多く、メジャーなイメージだが、実車の活躍期間は1968〜1977年の9年間にすぎない。実車の編成にこだわらず、雑多な貨車に組み込んで楽しもう。

寸法的にはタイプモデルだが多彩な二軸貨車に混ぜればそれほど気にならない。●TOMIX

コキ100系 詳解

貨物輸送の中心でもあるコンテナ列車は、同じ車両が連なっているようにみえる。
だが、実はいくつもの形式にわかれている。コキを知るとよりリアルな編成が組めるようになる。

(コキ100・101)

コキ100・101形は66ユニット264両が製造された。連結相手はコキ104・106・107など。初期の雰囲気を出すならコキ50000と連結してみよう。現代の貨物列車ならコキ106・107を多めに混ぜてみよう。一方でコキ100・101で統一された編成も貨物列車の編成美としておすすめできる。TOMIXから12両セットが発売されているので2セット購入し、東海道本線の1200t列車を仕立ててみてもいいだろう。

どんな機関車と組み合わせる?

コキ100・101形はJR初期から使われているコンテナ車なので、EF64からEF210まで、1980年代からの東海道本線を担当する牽引機であればどんな機関車でも似合うだろう。JR初期のイメージを出すのであればEF66などがおすすめ。0番代でも100番代でも「東海道らしさ」を楽しめる。

どんなコンテナを載せられる?

国鉄時代のC20コンテナ、JR初期の18Aコンテナなどから現代の20Cコンテナあたりまで多様なコンテナが似合う。編成に組み込むほかのコキ車、機関車などに時代をあわせて最適なチョイスをしよう。

「コンテナブルー」と呼ばれていた18A、18C、30Aといったコンテナから国鉄時代のC20コンテナも似合う。●TOMIX

どんな編成に組み込まれる?

4両1ユニットという特性から高需要路線である東海道・山陽本線に集中して使われる傾向がある。そのため20〜26両の長編成が似合うだろう。JRコンテナ、私有コンテナ問わず様々なコンテナを満載した、輸送力の象徴といえるような編成を仕立てたい。

18A、18CコンテナでまとめたJR発足直後をイメージした編成。機関車も国鉄色のEF66を選択。EF66・コキ100・コキ101 ●TOMIX

コキ100系の由来

コキ100系は速度向上はもとより海上コンテナを積載するために車高をコキ50000などよりも下げ、積載面の高さはレールから100cmとした。この100cmがコキ100系の由来だ。20Cコンテナのような背の高いコンテナもコキ100系以降のコンテナ車に積載するのが原則で、「コキ50000積載禁止」と記されたコンテナもあった。

Nゲージでもコキ50000（左）とコキ100系（右）では積載面の高さが異なっているのが目視でもわかる。コキ50000・コキ104 ●TOMIX

コキ102・103

コキ102・103はコキ100・101の改良型。システム面でいえばブレーキの電磁弁が2か所から1か所に集約されたという大きな違いがあるが、模型では外観上の違いはほとんどなく、実車でも形式番号以外で区別する術はない。運用はコキ100・101とほぼ同じで、4両1ユニットという構成で北海道から九州まで全国的に使われている。製造数は115ユニットなのでコキ100・101より見る機会は多いが、24両編成なら編成中1、2ユニットにとどめておこう。

どんな機関車と組み合わせる？

コキ100・101同様、東海道・山陽本線の担当機関車がしっくりくる。東北筋ならEH500やEH800、DF200や少し前のED75・79、DD51などでも似合うだろう。北海道からのジャガイモ輸送の貨物列車では、1両のコキ104以外はコキ100・101・102・103の4両ユニット組で編成された17両編成もみられた。

どんなコンテナを載せられる？

コキ102・103に限らないが、コキ100系の特徴として背高コンテナが積載可能になったことが挙げられる。せっかくコキ100系を楽しむのなら背高コンテナも積載してみよう。

背高コンテナには「コキ50000積載禁止」と表記されたものもある。こういったコンテナはコキ100系に積載して楽しもう。●朗堂

どんな編成に組み込まれる？

運用自体はコキ100・101同様、4両1ユニットという制約も含めて共通に使われる。東海道・山陽本線はもちろん、東北、北海道方面の貨物列車に組み込んでもいい。V19Cコンテナを満載した北海道からの農作物輸送列車を仕立てるのもいいだろう。もちろん、コキ100・101と組み合わせて編成するのもありだ。

コンテナをえんじ色の19Dなどにすることで雰囲気ががらりと変わる。これに私有コンテナをいくらか追加すれば今風の貨物列車になる。EF66●KATO、コキ102・103●TOMIX

コキ110

コキ110は2001年に登場した15ftコンテナ積載用のコンテナ車。だが、15ftコンテナは試験輸送のみで終了したため5両が製造されたのみだった。もちろん通常の12ftコンテナなども輸送可能なので現在はコキ106などと同じように使われているが、わずか5両なのでみかける機会はほとんどない。模型的には外観が明るい黄色なので編成内に1両入るととても目立つ。

NゲージではTOMIXから5両セットが発売されている。このセットを買えばコキ110の全車両をモノにできるのだ。●TOMIX

コキ104

4両ユニットでは運用上不便なこともあるため、1両で運用できるコキ車として製造された。製造数2908両はコキ107と並んでコキ100系でも最大所帯に属する。コキ編成を組むときはこの車両を軸にコキ102・103やコキ107を組み込んでいくといい。コキ104のみで編成を組んだ列車もあるが、基本的にはコキ107などと混ぜたほうが自然だ。コンテナはJRコンテナ、しかも19A以降のものが似合う。私有コンテナやタンクコンテナなども入れて楽しみたい。

模型では外観上の違いはさほどないので、コキ104の後ろにEF67をつなげて楽しもう。
コキ104●KATO、EF67●マイクロエース

4両だけの10000番代

コキ104のうち4両だけ存在した10000番代の車両は、山陽本線の難所、瀬野〜八本松駅間で補機を走行中解放するための機構を装備していた。連結器の構造や台枠の高さといった外見上の違いがあったが、Nゲージではさすがにそれを再現するのは難しい。なお「瀬野八」における補機の走行中解放は2002年で終了し、10000番代の4両はほかのコキ104と同様の運用に就いている。

機関車を選ばない

コキ104はJRになってからの機関車であればほぼすべての車種で活用できる。機関車を選ばない汎用性の高さが魅力だ。

オールコキ104の残土輸送列車

コキ104にはJR貨物ではなく私有の車両も存在した。さいたま新都心建設工事の残土輸送用として埼玉県資源活性財団が所有していた36両のコキ104は専用の運用を組んで残土輸送をおこなっていた。これらの車両は5000番代を名乗っているが外観・性能はJR貨物のコキ104と変わらない。

EH500●TOMIX、DF200・EF65●KATO

専用のUM12Aコンテナを1両あたり3個積載して残土輸送に活躍した。●TOMIX

コキ106・107

コキ106はコキ104の改良型で、ISO海上20ft重量コンテナを車端に積載できるよう台枠の強度を強化した車両だ。コキ106をベースに台枠構造などを改良した車両がコキ107となる。コキ107は現代コンテナ列車の主力ともいえる車両で、製造量数は2000両を突破してコキ104に次ぐ大所帯となっている。編成を組む際もコキ107とコキ104を中心に構成し、それよりやや数を抑えてコキ106を混ぜると現代の貨物列車の編成っぽくなる。

ISOコンテナ対応

コキ106はコキ104M形（40ftコンテナ積載に対応したコキ104）の総重量20t変則積みを解消するために設計された車両だ。基本的には車体中央に載せるのが原則だが、積み荷のない20ftコンテナであれば3個連ねて並べてもいいだろう。積載時、返空時（空の貨車を発駅まで輸送すること）と設定をわけてコンテナを載せ替えよう。

日本全国どこでもみられる

コキ106・107はあわせて3000両以上。大抵のコンテナ編成にはコキ106・107が含まれるといっても過言ではなく、現代のコンテナ列車を再現するには欠かせない車種だ。現代のコンテナ列車を組成するならコキ107をメインに集めていくことをおすすめする。

JRコンテナから海上コンテナまで、コンテナの種類を選ばず積載できるのが魅力だ。●TOMIX

コキ106形は荷重が40.7tなので、総重量が20tのコンテナの場合はこのような積み方になる。●TOMIX

コンテナ列車の主力となったコキ106・107。今後は青いコキ104からグレーのコキ106・107がコンテナ列車の主力となっていくだろう　EF65●KATO、コキ106・107●TOMIXおよびKATO

コキ編成を組んでみよう

Nゲージの製品として数百種類のコンテナが発売されている。
コキ100系にはどんなコンテナを載せればいいのだろう?
ここではJRコンテナに絞って考えてみたい。

どのコンテナを載せるか

現在、Nゲージ用に販売されているコンテナの種類は膨大で、貨物列車にかなり詳しい人でもすべてを把握している人は少ないだろう。そういう世界なのでランダムにコンテナを積載してもいいのだが、ある程度の知識があればより本物らしいコンテナ編成を仕立てられるのもまた事実。JRコンテナを例に、どんなコンテナを載せるべきか考えてみよう。

製造数と製造年

JRコンテナのはじまりは1987年の18Aコンテナだ。18AコンテナはJRコンテナとしては最古参となるのだが製造数は2500個と少なく、主力は1989年に登場した18Dコンテナとなる。なので1990年代前半のコンテナ列車を再現するのであれば18Dコンテナを軸とし、少数の18Aや18C、そして国鉄時代のC20、C21といったコンテナを並べるといいだろう。

18Dコンテナに次いで主力となったコンテナは19Dだ。19Dは現在も3万個以上が使われているコンテナで、2000年代のコンテナ列車には欠かせない。ワム380000が廃車になってからの紙輸送列車では、24両すべて19D(たまにV19Cなども入る)でそろった美しい編成美もみられたほどだ。

このように、コンテナがいつごろから何個製造されたかを知ったうえで、コキに積載するコンテナの割合を決定すると時代設定をうまく反映させることができるのだ。

積み方にはルールがある

コンテナは12ftコンテナでも約6.5tの重さになるため、偏った積み方をすると重量のアンバランスで脱線の危険がある。そのためコンテナを積載する場合、大きさや個数で積載方法が決められている。基本は「車両の前後で重量バランスがとれるような積み方」になっていると覚えておこう。

細かいルールはいろいろあるが、とりあえずは「コンテナを偏らせない」ことを覚えておこう。●TOMIX

column

コンテナの割合はどう決める？

コンテナは最初に試作コンテナが製造された後は、500〜1000個単位で増えていくのでコンテナのデビュー当時であれば編成内に含まれる数は少なめに。製造3〜5年目あたりから割合を増やしていくと雰囲気が出るだろう。新しいコンテナが製造されると、古いコンテナは入れ替わりで廃棄される。したがって晩年は古いコンテナはほとんど編成に組み込まれないので、そういったことも考慮してコンテナのバランスを考えていこう。

コンテナの誕生時期、全盛期、衰退期を把握しよう。●TOMIX

コンテナによっては積載不可も

1998年に登場した20A以降のコンテナはコキ50000形への積載が原則としてできない。これは全高が2,600mmと高くなったため、積載位置の低いコキ100系でないと車両限界を突破してしまうためだ。

ただし路線によってはコキ50000に20A以降のコンテナを載せても支障なしと認められた区間もあり、そういった区間限定という設定であれば積載しても問題ない。

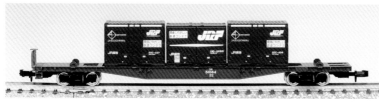

コキ50000に20A以降のコンテナを載せる際には注意が必要。●TOMIX

コキ100系の割合は？

コキ100系の製造両数を一覧にすると、コキ104とコキ107が突出していることがわかる。コキ104は1989年製造、コキ107は2008年製造なので、コキ104中心なら90年代、コキ107とコキ104の混成なら2010年代といった感じで時代にあわせて各形式のバランスをとっていこう。ただし、これはあくまで原則であって、2000年代でもコキ100・101やコキ102・103を中心に構成された編成も存在する。

コキ100系の製造両数

形式	両数	備考
コキ100・101	264	66ユニット
コキ102・103	460	115ユニット
コキ104	2948	
コキ105	80	40ユニット
コキ106	1162	
コキ107	2100以上	2020年現在
コキ110	5	

模型的なコンテナ編成

走らせるスペースに限りがある鉄道模型では、
貨物列車の「実車に則した編成」というのはつくりづらい。
そこで3つの時代にわけて模型的にそれっぽいコンテナ編成を考えてみた。

年代別の編成を考える

　貨物列車に「正解」の組成は存在しない。記録された写真などを参考にそれを再現する方法があるが、それでも編成すべてのコキを鮮明に確認できる写真や動画となると限られてしまう。

　かといってなにも考えずにランダムにコンテナを配置しても、どうもしっくりこないので、どうしたらそれっぽい雰囲気が出るのかを考えてみたい。

　ここでは1990年代、2000年代、2010年代の3つの期間にわけて、当時のコンテナ列車の編成例をあげてみた。機関車は東海道本線をイメージしているが、EF210やEF81にすれば羽越本線、ED75やEH500にすれば東北本線に流用することができるだろう。

　1990年代はまだ国鉄時代のコンテナが多

数残っていた。最新の18A、18Dコンテナと同数ほどのC20コンテナを積載し、ところどころに30Aコンテナを混ぜてみた。「コンテナブルー」のコンテナが90年代を演出している。

　2000年代にはえんじ色の19Dコンテナが大量に登場したため、19Dコンテナをベースに18Dもそれなりに積載してみた。19Dでも50周年コンテナを積載すれば2009年以降の姿になる。

　2010年代はえんじ色のコンテナでほぼ統一だ。背の高い20Cコンテナなども入れながら私有コンテナにはISOコンテナもいくらか混ぜていきたい。また、カラフルな私有コンテナも適宜取り入れて「今風」を主張したい。

　ここに挙げたのはあくまでも一例である。資料を参照しながら「時代背景」を土台に、自分が納得いくようなコンテナ編成をまとめていくのがコンテナ列車の醍醐味だ。

コキ105の使い方

『トヨタ・ロングパス・エクスプレス』で近年運用されるようになったコキ105。外見からはコキ104と見分けがつかない。●TOMIX

　コキ105は2両1ユニットのコンテナ車で40ユニットしか製造されなかった少数派だ。模型の世界での使い道としては、18Dコンテナを積載した自動車部品輸送や、「トヨタ・ロングパス・エクスプレス」の編成への組み込みなどが考えられる。20両分40個のコンテナをそろえるのは大変だが、それだけの価値はある編成美を堪能できる。

1990 年ごろをイメージ

　分割民営化直後の貨物列車をイメージして18D、C20を中心に積んでみた。コンテナ車はコキ50000を中心に登場したばかりのコキ100系を少し混ぜている。このころの私有コンテナは製品化されていないものも多いので国鉄／JRコンテナ中心でまとめるのが無難。

2000 年ごろをイメージ

　コキ100系オンリーによる最高速度110km/hの列車が設定されていたころを想定し、コキ車はコキ104を中心に組成した。コキ105はあえて組み込む必要はないだろう。コンテナは19Dを中心に若干の通風コンテナと私有コンテナを積んだ。残っていた少数の18Dコンテナも混ぜてみた。

現在 のイメージ

　コキ107を中心にコキ104を適宜混ぜて編成を構成してみた。コンテナは新鋭の20Cコンテナを散りばめつつ19D、V19Cなども載せる。このほか海上コンテナを1個積載したコンテナやJOTの私有コンテナ、幹線でみられるランテックのコンテナなども使っている。

コキ200の使い方

全長がコキ100系よりもかなり短く、20ftコンテナ2個がぴったり収まる長さがコキ200形の特徴。●KATO

　コキ200は総重量24tのISO20ftコンテナを2個積載可能としたコンテナ車で、全長がコキ100系よりも短いのが特徴となっている。車体を小型化することで軽量化し、コンテナ2個積載を可能とした。使い方としてはコキ50000やコキ100系を6両程度と、5両程度のコキ200をあわせて連ねるというのはどうだろう。鹿島線・成田線などでみられた編成だ。

コンテナのイロハ

現在の貨物列車はコンテナ輸送がその中心的存在だ。
ひと口にコンテナといっても、大きさやサイズはじつにさまざま。
コンテナを知れば知るほど貨物列車がますますおもしろくなるはず。
ここではコンテナについて基本から学ぼう。

（ コンテナの記号の読み方 ）

JRコンテナ

V19B-6280
① ② ③ ④

① 用途を示す記号で種類は右表参照。JRコンテナの場合、V、W、X、Zなどが付く。
② 容積を表す数字。「19」であれば容積19立方メートルであることを示す。
③ 同一用途、同一容積で改良などが施された場合、A、B、C…と区分する。19立方メートルのコンテナの場合、19Aから19Gまで存在する。
④ 製造番号。通常は1から順に付番するが、大きな設計変更があった場合などは番代区分される。

私有コンテナ

UR19A-1754
① ② ③ ④ ⑤

① 私有コンテナを示す記号。
② 用途記号。右表参照。Rであれば冷蔵コンテナ、Fであれば定温コンテナなど。これらはJRコンテナには現存しないが、私有コンテナではよく見られる。
③ 容積を表す数字。
④ コンテナの仕様。右表参照。
⑤ 一連番号。通常は1から順に付番する。ほか右表のような番代区分がある。

似たような見た目でも違いがある

鉄道貨物にはさまざまなコンテナがあり、輸送する品目や量によって使い分けられている。個人や企業が貨物に輸送を依頼すると、トラックで「コンテナ」が送られてくる。12ft〜45ftまでいろいろな大きさが存在し、生鮮品を運

ぶために通気性をよくした通風コンテナもある。
出荷する荷物が毎日あるような大規模な物流会社などでは、自前でコンテナを用意している場合もある。これらは「私有コンテナ」と呼ばれ、カラフルなコーポレートカラーで彩られていることが多いため、ひと目で区別できる。コンテナの規格に合っている限りは独自仕様にす

用途記号一覧

記号	用途
なし	有蓋コンテナ
D	死重コンテナ
F	定温コンテナ
G	電源コンテナ
H	ホッパコンテナ
L	活魚コンテナ
M	無蓋コンテナ
R	冷蔵コンテナ
T	タンクコンテナ
V	通風コンテナ
W	廃棄物専用コンテナ
X	試験・測定用
Z	事業用

仕様に関する記号一覧

記号	仕様
A	普通品
B	航送品
C	危険品
D	特殊品積載または特殊構造
E	多品種普通品積載用タンクコンテナ
F	多品種危険品積載用タンクコンテナ
G	普通品積載用
S	SVS(トラックの荷台ごと貨車に積む方式)用

番代区分

番代	内容
1000	定温コンテナで冷凍機用電源が外部供給のもの。
5000	20〜40ftコンテナで荷重が12.3t以上13.5t未満のもの
8000	20〜40ftコンテナで荷重が13.5t以上のもの
9000	特別大型私有コンテナ9500 9000番代よりさらに大型のコンテナ
20000	長さが22.5ft、または24ftのもの
30000	30ftのもの
40000	40ftのもの
90000	ISOコンテナにJR形式を付番したもの

コンテナの種類

定温コンテナ

チルドの輸送用につくられたコンテナで、冷凍機がコンテナ横に付属している。そのため、コンテナ積載時に制限がある。●朗堂

タンクコンテナ

国鉄時代にもタンクコンテナは存在したが、現在はISO20ftコンテナが普及している。●ポポンデッタ

通風コンテナ

名前のとおり外気を取り入れて生鮮品などを輸送するためのコンテナ。ベンチレーターを閉じれば、有蓋コンテナとして使えるものもある。●朗堂

冷蔵コンテナ

食品輸送だけでなく医薬品、化学品の輸送にも冷蔵コンテナは活用されている。断熱材で保冷するため、冷凍機などはない。●朗堂

無蓋コンテナ

残土輸送やリサイクル廃棄物の静脈輸送などに使われるコンテナ。無蓋ではあるが、開閉式の蓋を設けて輸送品の飛散などを防いでいる。●TOMIX

JR形式のないコンテナ

ISOコンテナはJR式の記号が付番されていない。かつては海上コンテナだけを編成した貨物列車も見られた。●朗堂

ることも可能で、たとえば生ものを運ぶ冷蔵コンテナや液体を運ぶタンクコンテナなどもある。

国鉄／規格コンテナを輸送することに特化したコキ50000系までのコンテナ車では輸送効率が悪いという欠点があったが、2000年にはISO20／40ftコンテナ用に特化したコキ200形式も登場し、石油輸送などで活躍している。

コンテナの種類は私有コンテナも含めるとおびただしい数となり、Nゲージの世界でも各社から数百種類の製品が発売されている。見た目の好みでコンテナをチョイスしてもいいし、実車を参考にコンテナを選ぶのもありだ。いずれにせよコンテナを知ることにより、Nゲージの貨物列車がより楽しくなることは間違いない。

(コンテナ積載ルール)

たとえばコキ100には12ftコンテナを5個積めるが、運ぶコンテナが1～2個の場合、車両の片側にコンテナが集中すると重量バランスが崩れてしまう。そこで、コンテナは積載する個数や種類によって積み方が決められている。模型でコンテナ列車を走らせる際には、積み方にも気を遣うことでより実車らしくなる。

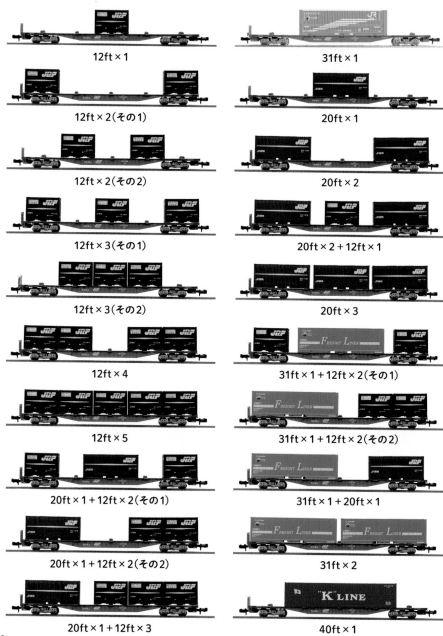

12ft×1

31ft×1

12ft×2(その1)

20ft×1

12ft×2(その2)

20ft×2

12ft×3(その1)

20ft×2＋12ft×1

12ft×3(その2)

20ft×3

12ft×4

31ft×1＋12ft×2(その1)

12ft×5

31ft×1＋12ft×2(その2)

20ft×1＋12ft×2(その1)

31ft×1＋20ft×1

20ft×1＋12ft×2(その2)

31ft×2

20ft×1＋12ft×3

40ft×1

企業を知ってよりリアルに
コンテナ輸送のABC

コンテナ列車を頻繁に利用する企業は輸送ルートがおおむね決まっている。
「このコンテナはどこで見られるのか」を観察することにより、コンテナ編成もリアルさを増していく。

私有コンテナで地域性を

私有コンテナを所有する企業はほぼ毎日、特定の目的地への輸送需要がある。目的地は基本的に変わらないので、決まった日に決まった貨物列車に積載されることが多い。

輸送需要がある企業では編成丸ごと、もしくは編成の一部を貸し切りにして輸送することもある。これらの編成は同じ企業名の入ったコンテナがずらっと並ぶ「編成美」が楽しめる。

つまり、模型では私有コンテナをうまく活用することにより、その貨物列車の地域性を演出できるかもしれないというわけだ。

また、コンテナのなかには「青函トンネル通過不可」、「隅田川〜福岡(タ)限定」といった表記の付いたものもある。Nゲージでもこういった限定表記が記されているものがあり、どこを走っているかのアピールに活用できる。こういった製品を活用して地域性を醸し出し、よりリアルな貨物列車を仕立てよう。

北海道から全国へ

北海道といえば北見から首都圏方面に輸送する通称『タマネギ列車』が有名。野菜の輸送は基本JRの通風コンテナや各種私有コンテナでおこなわれるが、イラスト入りのコンテナが使われることもある。

『タマネギ列車』に必ずしも使われるとは限らないが、模型的な表現としてはV19Cのなかに数個紛れさせるのもいいだろう。●朗堂

北陸方面はJOTコンテナ?

太平洋側とくらべると、日本海側のコンテナ列車はJRコンテナが目立つが、JOTのコンテナなども結構つながっている。JRコンテナのえんじ色と合わさって美しい紅白のまだら模様になる。

日本全国でみられるJOTコンテナも、ほかのコンテナとの組み合わせで個性の演出になる。●朗堂

トヨタ・ロングパス・エクスプレス

20両40個にもおよぶブルーの31ftコンテナで統一された美しい編成。Nスケールでもコンテナが発売され、再現ができるようになった。運転区間は名古屋南〜盛岡間。牽引機はEF210、EH500だ。

40個揃えるとそれなりの予算が必要だが、値段以上の価値はある。●朗堂

ランテック UF43A

ランテックは札幌〜関東〜福岡間をメインに鉄道貨物を運用しており、東北・東海道・山陽本線筋のコンテナ列車でよく見かける。福岡〜東京用、青函トンネル通過不可など、さまざまなコンテナが発売されている。

写真のコンテナは東京〜福岡専用のコンテナ。コンテナによっては運用が決まっているものがある。●朗堂

カンガルーライナー SS60

『カンガルーライナーSS60』は20両中15両が西濃運輸の貸し切りで、残り5両は一般のコンテナを混載する。15両分ずらりと黄帯のコンテナが並べば、『カンガルーライナーSS60』だとすぐにわかる。

物流の流れが太いところは、路線貨物系のコンテナがよく見られる。●TOMIX

つなげて編成美を楽しもう
コンテナ列車を組成する

ここでは実際に運行されている列車を参考に、コンテナ列車を組成してみた。

編成美をわずかに崩す

ここに挙げた編成は、実在の編成をもとに鉄道模型用にアレンジしたもので、実際のコンテナ列車は季節や需要によって編成や積載コンテナが変化する。

私有コンテナの場合、貸切貨物以外では規則性はほとんどないので、実車の編成を参考に適宜コンテナを載せ替えてほしい。

写真ではコンテナの積載パターンを見せるため、コンテナ車自体は一部を除いて原則としてコキ107で揃えているが、これも適宜コキ104・106などに置き換えてほしい。

貸切貨物の西濃運輸とトヨタに関しては、この例ではあえて編成美を崩して2種類のコンテナを使用している。もちろん、模型の編成美を優先して1種類のコンテナで統一しても構わない。

「カンガルーライナー」編成

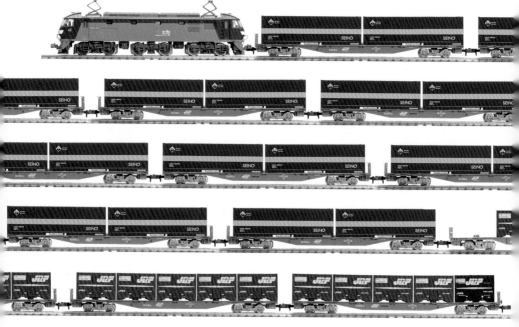

右側のモールドが冷凍機。この面にほかのコンテナが隣り合ってはいけない。●プラッツ

産廃輸送用のW19Dコンテナ。側面に(環)マークが付いており、ほかのコンテナとの混用を禁止している。●朗堂

積載制限

　定温コンテナには冷凍機が付いており、冷凍機の隣にほかのコンテナを積載することや、冷凍機同士が向き合う積載方法を禁じている。このため、12ftコンテナは最大3個まで、30ft定温コンテナも2個積載時は冷凍機同士が向き合わないよう積まなくてはならない。ただし、冷凍機を停止した状態であればこの制限はかからない。

廃棄物輸送専用コンテナ

　環境意識が高まる昨今、廃棄物のリサイクルは各企業が高い関心を持ち、再資源化可能な廃棄物の輸送に鉄道コンテナが使われるケースが多い。この場合、コンテナに(環)のマークが入った専用のコンテナが用いられ、ほかのコンテナと混用しないよう区別している。

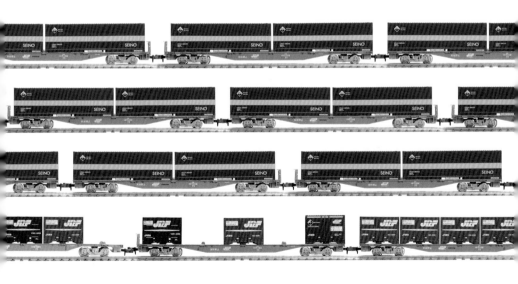

『カンガルーライナー SS60』は20両編成のコンテナのうち15両が西濃運輸の貸し切りで、5両は混載となる。作例では混載部分をJRコンテナでまとめたが、実車ではディーラインの30ftコンテナがよく積載される。

（ 紙輸送列車 ）

（ 「トヨタ・ロングパス・エクスプレス」編成 ）

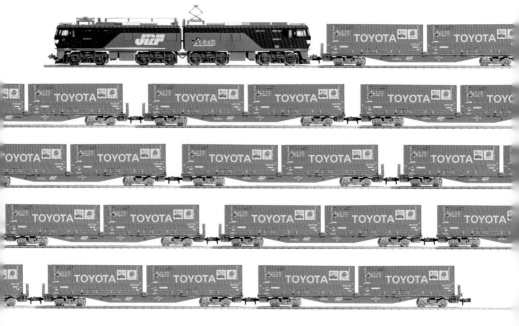

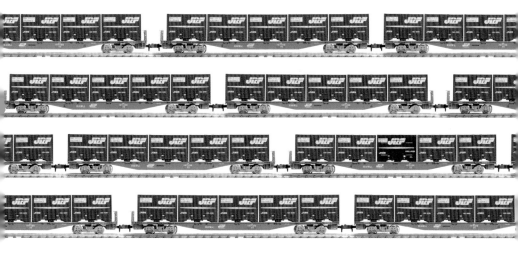

春日井・富士から新座へロール紙を輸送する紙輸送列車は19D、V19C、20Cといったコンテナを
最大24両のコキ100系に満載して運行される。ここでは背の高さが揃うV19Cと19Dで構成した。

東海道・東北本線で見られる貸切貨物列車『トヨタ・ロングパス・エクスプレス』。オールト
ヨタでまとめれば初期の姿、BIG ECO LINERのU55A中心でまとめると近年の姿になる。

ディープな貨物列車の世界
貨物列車を
より深く楽しむ

**貨物列車には決まった編成はないが、「それらしく」再現して楽しむには
貨物列車やコンテナのことを知っておくに越したことはない。
ここではいくつかのポイントを紹介する。**

現在主流のコンテナ列車は東海道・山陽本線なら最大26両、それ以外の路線であればおおむね20両が上限となる。Nゲージで実際につなげてみると、26両はいうまでもなく、20両でもかなり長い。

さすがに自宅でコキ26両をフル編成で並べるのは難しい場合が多い。では、どのように短縮してコンテナを並べればいいのか? 手っ取り早いのは、それほど長くない貨物列車を真似て組成することだ。

いろいろ調べて、メーカー各社から発売されているコンテナを積載したり、貨物駅をつくったりまずは楽しんでみよう。

コンテナには互換性がある

コキ車に積載するコンテナはTOMIX、KATOだけでなく朗堂、プラッツ、ポポンデッタなどからも製品化されている。これらはすべて互換性があり、TOMIX、KATO、マイクロエース各社の現行のコキに、どのメーカーのコンテナも積載できる。ただし、KATOのコキ10000のようにコンテナの積み替えができない製品も一部ある。

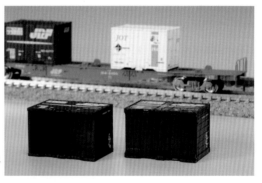

KATO(左)とTOMIX(右)の19Dコンテナ。構造は異なるが、どちらのコンテナも各社のコキに積載可能。

コンテナは決して安くはないので、余剰コンテナはさまざまな形で活用したい。貨物駅のコンテナ積み上げは2段までが目安。

余ったコンテナを活用しよう

コンテナは2〜5個で1セットの販売が多いため、余りが出る場合がある。そんな時はレイアウトの片隅に工場や貨物駅風のセクションをつくり、コンテナを並べて積んでみよう。また、トミーテックのジオコレ「トレーラーコレクション」のトレーラーにコンテナを積載したり、工場の片隅にコンテナを置いて倉庫がわりにするなど、使い道はたくさんある。

何両程度が見栄えする?

貨物列車は長ければ長いほど迫力があるが、畳1枚分のスペースなら機関車＋コキ8両くらいが適正だろう。輸送量の少ない路線をイメージして機関車をDD51やDE10にしてみるのもいい。これらの機関車ならコンテナ8両でも充分かっこよく見える。

入門セットの2両程度では短かすぎるので、あと4～6両程度は増結したい。EF210・コキ104 ● TOMIX、コキ106・コキ107 ● KATO

反射板やテールランプを取り付けて最後尾を主張しよう。コキの最後尾がテールランプになるのは東北方面の列車だ。コキ106 ● マイクロエース、ワム380000 ● KATO

最後尾にもこだわる

JRの貨物列車では甲種輸送やシキ以外では原則として車掌車はつながない。そのかわりに、一番後ろの貨車には最後尾であることを示す反射板が取り付けられる。コキの製品にはこれが含まれているので、ぜひ取り付けたい。また、東北・日本海縦貫線方面のコキ100系はテールライトを点灯させる。EH500やEH800の牽引ならテールランプ付きのコキを最後尾につなげたい。

コキの運転は少し注意しよう

コンテナ車やタンク車は台車にカプラーが付いているので、下り勾配の曲線や長編成の推進運転では脱線が起こる危険がある。特に機関車の次位にコンテナが積載されていないコキをつないでいる場合、後ろのコンテナ積載コキの重さに引きずられて脱線することもあるので、運転の際は充分に気を付けたい。

コンテナによって重心が変わったり、カーブでは外に押し出されるなどコンテナのバランスは微妙。推進運転では充分に注意。コキ104・コキ106 ● KATO

コンテナ名鑑

Nゲージの世界ではたくさんのコンテナが製品化されている。現役のコンテナはもちろん、すでに廃盤になったコンテナまでラインナップされており、幅広い時代の列車を再現できる。

JRコンテナ／国鉄

C10コンテナ
1966年に製造された10ftコンテナ。1990年まで使われた。模型ではTOMIXコム1タイプに付属。●TOMIX

C31コンテナ
国鉄が1983年から製造した12ftコンテナ。荷主からの意見を聞き、妻面・側面各1面に扉を設けた。●TOMIX

C20コンテナ
1971年に製造されたコンテナで、コキ50000形などにぴったり。こちらは九州支社仕様のもの。●TOMIX

C20コンテナ
国鉄時代を再現するのに適した国鉄カラーのC20。JR後もこのカラーは見ることができた。●TOMIX

C35コンテナ
国鉄末期の1984年に登場したC31コンテナのコストダウン型。いろいろな問題があり、2年で製造終了。●TOMIX

C95コンテナ
1978年製造の簡易保冷コンテナ。簡易保冷を示すため、白とブルーのツートンカラーとなっている。●TOMIX

T10コンテナ
国鉄が1964年に製造したタンクコンテナ。製造数は24個と少ないが、JR貨物移行後も少数運用された。●TOMIX

18Aコンテナ
1987年にJR貨物が製造。コンテナブルーをはじめて採用したコンテナでもある。●TOMIX

V18Aコンテナ
妻面と側面各1か所に扉がある通風コンテナ。側面のベンチレーターが特徴。●TOMIX

18Dコンテナ
国鉄型置き換え用に1989年から2万3600個を製造。1990年代を代表するコンテナ。●朗堂

W18Dコンテナ
18Dコンテナを静脈物流用に転用したもので、(環)マーク以外の外見は18Dと変わらない。●朗堂

19Aコンテナ
19立方メートルコンテナの第1弾。1001個が製造されたがトラック積載に難があり、19Bに移行。●TOMIX

19Bコンテナ
19Aより幅がやや狭くなり、トラック積載の便宜を図った。写真は塗装が簡易化された姿。●朗堂

19Cコンテナ
19Bに荷崩れ防止の機構を取り付けた。ゆえに模型では19Bと外観は同一。●朗堂

19Dコンテナ
2023年の段階で2万4000個あまりが稼働する12ftコンテナの主力。扉位置は両開きで、妻面扉はない。●TOMIX

19Dコンテナ
2009年に鉄道コンテナ50周年を記念して50個製作された19Dコンテナ。エコレールマークが付く。●TOMIX

19Dコンテナ
2014年製造以降は塗装がシンプルになった。JRFマークがなくなり、かわりにJRロゴが入った。●TOMIX

19Fコンテナ
国鉄コンテナ置き換え用で側面と妻面各1か所に扉がある。扉のない面がリブで覆われているのが特徴。●TOMIX

V19Bコンテナ
妻面と側面に扉のある通風コンテナ。2023年現在、3700個程度が使用されているが、数を減らしつつある。●TOMIX

V19Cコンテナ
19Dコンテナをベースに、ベンチレーターを取り付けた通風コンテナ。JR貨物通風コンテナの主力。●TOMIX

V19Cコンテナ
19Dコンテナ同様、近年製造されたものはJRFマークがなくなり、かわりにJRロゴが入る。●TOMIX

W19Dコンテナ
静脈物流専用コンテナ。機能は19Dと同等だが、静脈物流用の(環)マークが入っているのが特徴。●朗堂

20Cコンテナ
500個が製造された背高コンテナ。容積は19.5立方メートルで、扉は両側面に付いている。●TOMIX

20Dコンテナ
2006年から製造された背高コンテナ。通風コンテナではないが、簡易通風機が設けられている。●TOMIX

20Gコンテナ
2018年より製造のはじまった背高コンテナ。コキ50000形の運用終了で、汎用的に使われるようになった。●TOMIX

24Aコンテナ
10個しか製造されなかった15ftコンテナ。コキ110に積載するコンテナとして製造された。●TOMIX

30Aコンテナ
最大積載量9tの30ftコンテナで373個製造。写真は初期タイプで、側面2か所にドアがある。●TOMIX

30Aコンテナ
後期型の30AコンテナはJR貨物のフロンティアレッドカラーとなった。●TOMIX

30Dコンテナ
両側面と片側妻面の3か所に扉のあるコンテナ。画像は200番以降のJRFロゴが入らないタイプ。●TOMIX

30Dコンテナ
30Dコンテナの前期型で、JRFロゴが入るタイプ。前期後期を適宜混ぜて活用しよう。●TOMIX

48Aコンテナ
2012年製の31ftウイングコンテナ。妻面と両側面の3面にドアがある。●朗堂

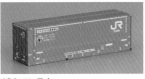

48Aコンテナ
48Aコンテナの後期型で、側面に入る7本ラインがないタイプ。●朗堂

私有コンテナ

JOT U50A
（31ftコンテナ）
隅田川〜大阪（タ）〜福岡（タ）などで使
われる。●朗堂

JOT UF15A
（12ftコンテナ）
JOTの定温コンテナの新塗装。●朗堂

JOT UF15A
（12ftコンテナ）
定温コンテナの旧塗装。●朗堂

JOT UC7
（20ftコンテナ）
コキ50000あたりに似合う、旧デザイ
ンのコンテナ。●TOMIX

JOT UF16A
（12ftコンテナ）
扉はL字二方タイプの定温コンテナ。●
朗堂

JOT UF16A
（12ftコンテナ）
妻面に環境世紀ロゴが入るコンテナ。
●朗堂

JOT UF16A
（12ftコンテナ）
側面にジェイベアーズのイラストが入る
定温コンテナ。●朗堂

JOT UF42A
（31ftコンテナ）
「環境世紀をサポートします」のロゴ入
り。●朗堂

JOT UR4
（12ftコンテナ・青ライン入り）
JOTのロゴが旧タイプのもの。●朗堂

JOT UR4
（12ftコンテナ・青ライン入り）
現行のロゴが入ったタイプ。●朗堂

JOT UR17A-70000
（12ftコンテナ）
初期塗装で、エコレールマーク付き。●
朗堂

JOT SUPER UR UR17A-70000
（12ftコンテナ）
量産型タイプのコンテナ。●朗堂

JOT UR18A
（12ftコンテナ・赤ライン入り）
エコレールマークが入ったコンテナ。●
朗堂

JOT UR18A
（12ftコンテナ）
赤ラインおよび、環境世紀ロゴが入る。
●朗堂

JOT UR18A
（12ftコンテナ）
緑ライン入りのタイプで、鮮魚輸送用。
●朗堂

JOT UR18A-20000
（12ftコンテナ・青ライン入り）
UR19Aとよく似ているコンテナ。●朗堂

JOT UR18A
（12ftコンテナ・青ライン入り）
側面にリブが入ったタイプ。●朗堂

JOT UR18A
（12ftコンテナ・赤ライン入り）
ライン上にエコレールマークが入る。●朗堂

JOT UR18A
（12ftコンテナ・赤ライン入り）
ロゴの入らないタイプ。●朗堂

JOT UR18A
（12ftコンテナ・緑ライン入り）
L字型二方開きのコンテナ。●TOMIX

JOT UR18A-10000
（12ftコンテナ・赤ライン入り）
両側開きタイプのコンテナ。●TOMIX

JOT UR19A-20000
（12fコンテナ・青ライン入り）
環境世紀のロゴがないコンテナ。●朗堂

JOT UR19A-10000
（12ftコンテナ・緑ライン入り）
ウイングロゴ入りの軽量型。●朗堂

JOT UR19A-1000
（12ftコンテナ・水色ライン入り）
ライン上にシャボン玉ロゴが入るコンテナ。●朗堂

JOT UR19A-1000
（12ftコンテナ）
18Aとの違いは扉の位置。●朗堂

JOT UR19A-15000
（12ftコンテナ・赤ライン入り）
環境世紀ロゴ入りコンテナ。●朗堂

JOT UR19A-15000
（12ftコンテナ・赤ライン入り）
規格外マーク入りコンテナ。●朗堂

JOT UR19A-12000
（12ftコンテナ・桜帯入り）
エコレールマーク、規格外マーク付きコンテナ。●朗堂

JOT UR19A-12000
（12ftコンテナ・ピンク帯入り）
エコレールマーク、シャボン玉ロゴ付き。●朗堂

JOT UR19A-20000
（12ftコンテナ・青ライン入り）
ロゴ下に規格外マークが入るコンテナ。●朗堂

JOT UR19A-10000
（12ftコンテナ・赤ライン入り）
規格外マークが付くコンテナ。●朗堂

JOT UR19A-15000
（12ftコンテナ・赤ライン入り）
環境世紀ロゴが付いているコンテナ。●朗堂

JOT UR19A-20000
（12ftコンテナ・青ライン入り）
環境世紀ロゴが付くコンテナ。●朗堂

JOT UR20A-20000
(12ftコンテナ・青ライン入り)
環境世紀ロゴが付くコンテナ。●朗堂

JOT UR20A
(12ftコンテナ・青ライン入り)
エコレールマーク付きコンテナ。●朗堂

JOT UR20A-10000
(12ftコンテナ・赤ライン入り)
環境世紀ロゴが付くコンテナ。●朗堂

JOT UR20A
(12ftコンテナ通販生活)
新座(タ)～岡山(タ)～福岡(タ)や四国
などがエリア。●朗堂

JOT UM14A-5000
熊谷(タ)を拠点に、各地へ平鋼を運ぶ
コンテナ。●朗堂

JOT UR50A-39500
(31ftコンテナ)
SUPER URと命名された真空断熱材
使用の定温コンテナ。●朗堂

JOT ISO20ft ホッパコンテナ
おもに粉粒体を輸送する専用コンテナ。
●TOMIX

JOT ISO20ft タンクコンテナ
フレームがグリーンに塗られた2万
1000Lタイプ。●TOMIX

西濃運輸UC7(20ftコンテナ)
カンガルー便塗装で、全国で使われて
いる。●朗堂

西濃運輸U47A(30ftコンテナ)
日本フレートライナー所有のコンテナを
西濃運輸が借り受けたもの。●朗堂

西濃運輸U30B(20ftコンテナ)
クリーム色ベースのカンガルー便旧塗
装。●朗堂

西濃運輸U30A(20ftコンテナ)
水色ベースのカンガルー便旧塗装。●
朗堂

西濃運輸U31A(20ftコンテナ)
紺色ベースのカンガルー便ロゴが入って
いるもの。●朗堂

西濃運輸U31A(20ftコンテナ)
「カルちゃん」のイラストが入ったタイプ。
●朗堂

西濃運輸U31A
(20ftコンテナ)
東京(タ)～大阪(タ)などで見られる現
行塗装。●朗堂

西濃運輸U48A
(30ftコンテナ)
クリーム色の旧塗装時代のコンテナで、1990
～2000年代の貨物列車に似合う。●朗堂

西濃運輸U54A-38000
(31ftコンテナ)
東海道本線の貸切コンテナ列車でおな
じみ。●朗堂

西濃運輸U54A-30000
(31ftコンテナ)
越谷(タ)～札幌(タ)の区間表記入り。
●TOMIX

三八五貨物特急便UC5コンテナ
東日本を拠点とする流通会社のコンテ
ナ。●プラッツ

北越コーポレーションU30A
(20ftコンテナ)
ロゴのほか、北越コーポレーションの商
品名が表記されている。●TOMIX

NEL·UM9A
(6ftコンテナ)
日通のオリジナルコンテナで2個1組で
運用される。●TOMIX

日本通運U20A-500
(12ftコンテナ)
おもに自動車部品の輸送用に使われる。
●TOMIX

日本通運UM8A
(12ftコンテナ)
瓦礫輸送用コンテナでエコレールマー
ク付き。●朗堂

日本通運UR18A
(12ftコンテナ)
FRESH！のロゴ入りコンテナ。●朗堂

DOWA通運UM12A
(20ftコンテナ)
旧ロゴが入ったタイプのコンテナ。●朗
堂

日本通運U47A
(30ftコンテナ)
ペリカン便のロゴが入ったタイプで、お
もに宅配輸送に使用。●朗堂

DOWA通運UM12A
(20ftコンテナ)
motivate our planetのロゴが入るコン
テナ。●朗堂

日本通運UM12A
(20ftコンテナ)
エコレールマーク入りの無蓋コンテナ。
●朗堂

日本通運U46A-30000
(30ftコンテナ)
後期型でブルー基調のカラー。●TOMIX

日本通運徳山支店UM12A-5600
(12ftコンテナ)
山陽本線などで運用されるコンテナ。
●朗堂

DOWA通運UV19A
(motivate our planet)
焼却灰輸送用の有蓋コンテナ。●朗堂

DOWA通運UM12A
(20ftコンテナ)
ロゴが新しくなった20ft無蓋コンテナ。
●朗堂

日陸ISO20ftタンクコンテナ
液状の化学製品などを輸送するために
用いるコンテナ。●TOMIX

ISOタンクコンテナ
(日陸/INTERFLOW)
「INTERFLOW」のロゴがタンク体に大
きく描かれたもの。●KATO

ISOタンクコンテナ(日陸)
日陸所有の22T6型タンクコンテナ。
●KATO

私有UM12A-105000
(20ftコンテナ)
おもに残土輸送に使われるコンテナ。
●TOMIX

UT1コンテナ
液体や粉体輸送専用で、塩化ビニール
樹脂専用。●TOMIX

UM12A-5000
(20ftコンテナ)
建設残土などの輸送用でJRFロゴ入り。
●TOMIX

九州牛乳輸送 UF47A
(31ftコンテナ)
同社は現在のランテックで、福岡(貨)
～東京(貨)の専用表記が入る。●朗堂

ランテック UF46A-39500
(31ftコンテナ)
青函トンネル通過禁止の表記入り。●
朗堂

ランテック UF43A
(31ftコンテナ)
東京(タ)～福岡(タ)間のフレッシュ便
に使用するコンテナ。●朗堂

ランテック UF43A-38000
(31ftコンテナ)
本製品は冷凍機の形状が実車とは異な
るもの。●朗堂

ランテック UF42A(31ftコンテナ)
東京(タ)～福岡(タ)、宮城野～札幌(タ)
間専用の青函トンネル通過可能の定温
コンテナ。●朗堂

ランテック UF42A-38000
(31ftコンテナ)
冷食輸送用の定温コンテナで、区間限定
の表記は入っていないもの。●TOMIX

旭川通運 UR18A
(12ftコンテナ)
旭川拠点の通運会社で、JRコンテナと
あわせて使う。●朗堂

旭川通運 UR15A
(12ftコンテナ)
同社コンテナのデザインは何種類かあ
るが、これは社名のみ。●朗堂

士別運送 UR15A
(12ftコンテナ)
北旭川駅に取次所を持つ運送会社のコ
ンテナ。●朗堂

全国通運 U49A
(30ftコンテナ)
東京(タ)～福岡(タ)間などで運用され
たコンテナ。●朗堂

全国通運 UV56A-39500
(31ftコンテナ)
全通のコンテナは東京(タ)～福岡(タ)
間などでよく見られる。●朗堂

全国通運 U47A
(31ftコンテナ)
全通所有のウイングタイプで全国で見
られる。●朗堂

全国通運 U48A-38000
(31ftコンテナ・Super Green Shuttle Liner)
全国通運が所有するスーパーグリーン
シャトルライナーコンテナ。●朗堂

オカケン U47A-38000
(31ftコンテナ)
岡山県貨物運送が全通から借り受けて
いるもの。●朗堂

全国通運所有カイリク U47A - 38000
(31ftコンテナ)
仙台をベースに、全国にコンテナを発
送している。●朗堂

全国通運 UM8A
(12ftコンテナ)
エコレールマーク付き瓦礫輸送コンテ
ナ。●朗堂

全国通運 UM8A
(12ftコンテナ)
川崎市専用瓦礫輸送コンテナ。●朗堂

全通所有・佐賀運輸 U51A-39500
(31ftコンテナ)
佐賀運輸は鍋島・鳥栖・福岡(タ)を拠点とする。●朗堂

全通所有・鹿児島通運 U47A-38000
(31ftコンテナ)
離島への通運だけでなく、鉄道貨物もおこなう。●朗堂

全国通運 UM8A
(12ftコンテナ)
川崎市「かわるん」、熊本市「ひごまる」入り瓦礫輸送コンテナ。●朗堂

全国通運 UV19A
(12ftコンテナ)
全国通運が所有する通風コンテナ。●TOMIX

全国通運 UC7
(20ftコンテナ)
緑ベース旧デザインの全通コンテナ。●TOMIX

福山通運 U51A-30000
(31ftコンテナ)
『福山通運レールエクスプレス』瀬戸内ひろしま、宝しま用。●朗堂

福山通運 U51A-30000
(31ftコンテナ)
『福山通運レールエクスプレス』用コンテナ。●朗堂

福山通運 U30A
(20ftコンテナ)
銀色ベースの旧塗装のもの。●朗堂

福山通運 U30A
(20ftコンテナ)
フクツー引越便ロゴが入っているもの。●朗堂

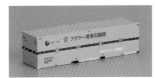

福山通運 U51A-30000
(31ftコンテナ)
フクツー青春引越便塗装。●朗堂

福山通運 UC7
(20ftコンテナ)
社名の小さな初期塗装モデル。●朗堂

福山通運 U30A
(20ftコンテナ)
黄色ベースの新塗装コンテナ。●朗堂

福山通運 UC7
(20ftコンテナ)
黄色ベースの新塗装で、「福通」表記。●朗堂

日本フレートライナー UC-7
(20ftコンテナ)
ラインが1本の旧デザインのもの。●TOMIX

日本フレートライナー U48A
(30ftコンテナ)
汎用コンテナとして全国で見られる。●朗堂

日本フレートライナー U31A
(20ftコンテナ)
文字が大きくなった新塗装。●朗堂

日本フレートライナー U31A
(20ftコンテナ)
スリーラインと呼ばれる、帯が入ったバージョン。●朗堂

浪速運送 U28A
(20ftコンテナ)
同社は服飾系の運送会社で、全国にコ
ンテナ輸送をおこなう。●朗堂

松岡満運輸 U31A
(20ftコンテナ)
東京(タ)〜札幌(タ)間などで運用され
る。●朗堂

アクロストランスポート U31A
(20ftコンテナ)
衣料品メーカーで、東京(タ)〜札幌(タ)
間で運用。●朗堂

アクロストランスポート U31A
(20ftコンテナ)
ベースが銀色のタイプのもの。●朗堂

アクロストランスポート U31A
(20ftコンテナ)
増備型のコンテナ。●朗堂

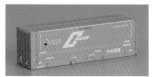

中央通運 U51A-39500
(31ftコンテナ)
東京(タ)〜福岡(タ)間などのコンテナ
列車で見られる。●朗堂

中央通運
Lashing Container LOGIN ET JAPAN
東京(タ)〜高松(タ)・伊予三島間で見
られる。●朗堂

中央通運 U19A
(12ftコンテナ)
LOGINET JAPAN仕様で全国で見られ
る。●朗堂

中央通運 U19A
(Lashing Container)
紙輸送などで使われるもの。●朗堂

中央通運 U19A
(12ftコンテナ)
ロゴとLashing Containerが入らない
バージョン。●朗堂

中央通運 U19A
(Lashing Container)
ロゴなしのバージョン。●朗堂

中央通運 U19A
(12ftコンテナ)
精密機器用だが、通常の荷物輸送にも
使われる。●朗堂

中央通運 UM12A-5600
(20ftコンテナ)
社名がコンテナ右側に入るタイプ。●
朗堂

中央通運 UM12A-5600
(20ftコンテナ)
社名がコンテナ左側に入るタイプ。●
朗堂

中央通運 UM12A-5900
(LOGINET JAPAN)
ロゴ入りで、焼却灰輸送に使われる。
●朗堂

中央通運 U31A
(20ftコンテナ)
東京(タ)〜水島間などで自動車部品な
どをおこなった。●朗堂

中央通運 U31A
(20ftコンテナ)
中央通運の屋号入り。●朗堂

さいたま新都心土砂輸送用・
UM12A-5000
コキ104 5000番代に積載されて運用
されたもの。●TOMIX

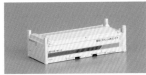

**ジェイアールエフ商事・
UM12A-5000**
「環境にやさしいJRコンテナ」のロゴが
入る。●TOMIX

**知多通運所有大同特殊鋼・
UM14A**
名古屋（タ）〜秋田間などで鋼板を輸送
するもの。●朗堂

**中越通運所有大同特殊鋼・
UM14A**
輸送区間、品目は知多通運のものと同
じ。●朗堂

**名古屋臨海鉄道所有大同特殊鋼・
UM14A**
輸送区間、品目は知多通運のものと同
じ。●朗堂

**オーシャンネットワークエクスプレス
（20ftコンテナ）**
海上コンテナ。●朗堂

**オーシャンネットワークエクスプレス
（40ftコンテナ）**
海上コンテナ。●朗堂

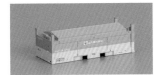

**山九UM12A
（20ftコンテナ）**
焼却灰を輸送するコンテナ。●朗堂

**愛知水と緑の公社・UM12A
（20ftコンテナ）**
愛知県の財団法人が所有するコンテナ。
●朗堂

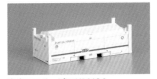

**東京エコサービスUM12A
（20ftコンテナ）**
焼却灰などを資源化する企業の貨車。
●朗堂

**北海道ジェイアール物流・
UM12A-105000**
産廃系の輸送をおこなっている企業の
もの。●朗堂

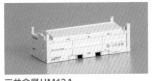

**三井金属UM12A
（20ftコンテナ）**
溶融飛灰の輸送に使われるコンテナ。
●朗堂

**ヤンマー・UF42A
（31ftコンテナ）**
以前は、隅田川〜札幌（タ）間などでよ
く見られた。●朗堂

ヤンマーゆうパックチルド・UF16A
ヤンマーの絵柄系コンテナ。●朗堂

**ヤンマー・UF15A
（12ftコンテナ）**
旧塗装バージョンで、少し古めのコンテ
ナ列車用。●朗堂

**ヤンマークール・UF15A
（12ftコンテナ）**
ヤンマーのイラスト入り定温コンテナ。
●朗堂

**九州センコーロジ・U49A-38000
（31ftコンテナ）**
おもに九州を拠点に、関西方面を結ぶ
貨物列車に積載される。●朗堂

**センコー・U50A
（31ftコンテナ）**
東京（タ）・越谷（タ）〜梅田間の貨物列
車などで見られた。●朗堂

**センコー・U19A
（12ftコンテナ）**
フェリシモ塗装で、大阪（タ）〜仙台（タ）
間などで見られた。●朗堂

センコー ISO
（20ftコンテナ）
おもに樹脂などのケミカル製品を輸送
する。●TOMIX

中越通運・U29A
（20ftコンテナ）
同社は新潟を拠点に、全国にコンテナ
輸送をおこなう。●朗堂

中越通運・U29A
（20ftコンテナ）
コンテナに新潟米のロゴが入るもの。
●朗堂

丸和通運・UF42A
（31ftコンテナ）
ヤンマーのコンテナとよく似たイラスト
が入る。●朗堂

丸和通運・UF16A
（12ftコンテナ）
桃太郎便で、医薬品や生鮮品などを輸
送する定温コンテナ。●朗堂

オリエントオーバーシーズコンテナラ
インリミテッド・40ft海上コンテナ
同社は香港の物流会社。●朗堂

大日グループ・U54A
（31ftコンテナ）
白帯なしのもの。●朗堂

大日グループ・U54A
（31ftコンテナ）
白帯入りで、東京（タ）～福岡（タ）間を
結ぶ列車などに積載。●朗堂

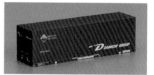

大日グループ・U54A-30000
（31ftコンテナ）
ラインなしで、ロゴ入りのタイプ。●朗
堂

西久大運輸倉庫・UF42A
（31ftコンテナ）
定温コンテナは装置の関係で、コキ1両に
つき1個までの積載制限がかかる。●朗堂

西久大運輸倉庫・U51A-39500
（31ftコンテナ）
同社は北九州（タ）・福岡（タ）・鳥栖および
横浜羽沢に拠点を置く通運業者。●朗堂

日本コカ・コーラ・U18A
（12ftコンテナ）
梅小路を起点にコカ・コーラの原液輸
送などに使われた。●TOMIX

COSCO・12ft鉄道輸送用コンテナ
上海～大阪～福島などのSea and Rail
サービスに使われる。●TOMIX

日本梱包運輸倉庫・U55A‐39500
（31ftコンテナ）
二輪車輸送用の二段床コンテナで、外
観も独特。●朗堂

日本梱包運輸倉庫・U51A-39500
（31ftコンテナ）
東京（タ）～福岡（タ）間で農機具などを
積み込む。●朗堂

佐川急便・U53A-30000
（31ftコンテナ）
東京（タ）～安治川口間などで運用され
る。●朗堂

日立物流・U48A
（30ftコンテナ）
1990年ごろから福岡（タ）～宇都宮（タ）
間で使われたコンテナ。●朗堂

フットワーク・U46A
（30ftコンテナ）
社名をアートプラスに変更し、このカ
ラーは過去のものに。●朗堂

西鉄運輸・U47A
(30ftコンテナ)
東京(タ)～福岡(タ)間などで見ることができた。●朗堂

日本電気硝子・U51A
(30ftコンテナ)
テレビのブラウン管などを輸送したコンテナ。●朗堂

ミナトヤ運輸・UF40A
(31ftコンテナ)
北陸地方の物流会社で、多数のコンテナを所有する。●朗堂

福岡運輸・UF41A
(31ftコンテナ)
東京(タ)・大阪(タ)～福岡(タ)間をメインに使われた定温コンテナ。●朗堂

高崎通運・UF39A
(31ftコンテナ)
熊谷(タ)から関西方面にアイスクリームの輸送などに使われる。●朗堂

55 BIG ECO LINER 31・U55A-39500(31ftコンテナ)
『トヨタ・ロングパス・エクスプレス』などにも積まれる。●朗堂

トヨタ・U55A-39500
(31ftコンテナ)
トヨタ自動車の部品輸送に使われる。●朗堂

JOT UV50A-30000
(31ftコンテナ)
JOTのコンテナだが横浜ゴムにリースしているため、独自のカラー。●朗堂

王子運送・U51A-39500
(31ftコンテナ)
『Super Green Shuttle』積載用コンテナ。●朗堂

丸全昭和運輸・U51A-39500
(31ftコンテナ)
関東の主要駅からの発送用に2個導入された。●朗堂

日通・鉄道貨物協会・U47A-38000
(31ftコンテナ)
遮熱塗料仕様のコンテナ。●朗堂

マツダ・U50A-39500(31ftコンテナ)
名古屋(タ)～広島(タ)間で部品を輸送する。●朗堂

札幌通運・U47A-38000
(31ftコンテナ)
同社は中央通運のグループ会社で、札幌(タ)が拠点。●朗堂

イトーキ・U50A
(31ftコンテナ)
事務機器メーカーのコンテナで、東京(タ)～大阪(タ)間を輸送。●朗堂

カリツー・U52A
(31ftコンテナ)
名古屋(タ)～広島(タ)間で見られる自動車部品輸送のコンテナ。●朗堂

デンソーカリツー・U51A-39500
名古屋(タ)～北九州(タ)間の自動車部品用に使われる。●朗堂

日本ロジテム・U51A-39500
(31ftコンテナ)
関東圏の物流事業者。東京(タ)～大阪(タ)間などで使用。●朗堂

セキスイハウス・U52A
(31ftコンテナ)
住宅用鉄骨を西浜松～新南陽間などで輸送。●朗堂

**トナミ運輸・U51A-39500
(31ftコンテナ)**
全国で見られる配送事業者のコンテナ。
●朗堂

**静岡通運・U52A-39500
(31ftコンテナ)**
静岡〜広島(タ)間などで見られる。●
朗堂

**鴻池運輸・U51A-39500
(31ftコンテナ)**
東京(タ)〜大阪(タ)間などで使われる。
●朗堂

**ダイキンエアコン・U50A
(31ftコンテナ)**
大阪(タ)〜越谷(タ)間などでエアコン
を輸送。●朗堂

**廣川運送・UF47A-39500
(31ftコンテナ)**
同社は東京(タ)〜大阪(タ)間を中心に、
冷蔵冷凍輸送を展開。●朗堂

**園田陸運・UF46A - 39500
(31ftコンテナ)**
東京(タ)〜福岡(タ)間でおもに使われる
定温コンテナ。●朗堂

**キューソー流通システム・U48A-38000
(31ftコンテナ)**
キューソー便のKRSロゴが入ったデザ
イン。●TOMIX

パナソニック・U47A-38000
パナソニックロジスティクス(現日通・
NPロジスティクス)が電機関連の輸送
に使用。●TOMIX

**仙台運送・U47A
(31ftコンテナ)**
同社は仙台(タ)に支店を置く運送業者。
●朗堂

**仙台運送・U31A
(20ftコンテナ)**
仙台(タ)〜広島(タ)間などで運用され
る。●朗堂

**札幌通運・UR52A-38000 番代タイ
プ**
東北、東海道筋で見かけるコンテナ。
●朗堂

札幌通運・UR52A-38000
冷蔵コンテナで、環境を守るエココン
テナのロゴ入り。●朗堂

**ロードリーム札幌・UV53A-38000
(31ftコンテナ(白))**
東北筋の貨物に積載したい。●朗堂

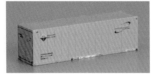

**ロードリーム札幌・UV53A-38000
(31ftコンテナ(紫))**
白の色違いバージョン。●朗堂

**ブリヂストン・U55A - 39500
(31ftコンテナ)**
タイヤやチューブを輸送し、宇都宮(タ)
〜福岡(タ)間などで見られる。●朗堂

**ブリヂストン・U54A-38000
(31ftコンテナ)**
ブリヂストンのロゴが新しいタイプのも
の。●朗堂

ISO40ft K-LINE 海上コンテナ
Mマーク入りコキ104やコキ107などに
積載される。●TOMIX

**味の素・U49A-38000
(31ftコンテナ)**
東京(タ)〜大阪(タ)間で味の素とミツカン
が共同で輸送するためのコンテナ。●朗堂

郵船ロジスティクス・
20ft海上ドライコンテナ
日本郵船のロゴ入り。●朗堂

水島臨海鉄道・U32A
（20ftコンテナ）
東京(タ)〜水島間などで見られた。●
朗堂

水島臨海通運・U30A
（20ftコンテナ）
側面にリブが入っている。●朗堂

鹿島臨海通運U30A
（20ftコンテナ）
茨城県神栖をベースに、関西方面に使
われている。●朗堂

北見通運・UR18A
（12ftコンテナ）
農産品輸送用の冷蔵コンテナ。●朗堂

BiTS 美瑛通運・UR18A
（12ftコンテナ）
札幌(タ) 〜隅田川間の貨物列車などで
見かける。●朗堂

三ッ輪運輸・UR19 A-2000
（12ftコンテナ）
コンテナにシャボン玉が描かれたバー
ジョン。●朗堂

パロマ・UR19A
（12ftコンテナ）
札幌(タ)〜名古屋(タ)間などで部品輸
送に使われる。●朗堂

函館運送・UR18A
（12ftコンテナ）
同社は北海道と首都圏をおもに結ぶ通
運会社。●朗堂

エキスプレスコーポレーション・
UF16A
海上輸送をおもにおこなう会社のコン
テナ。●朗堂

北見地域農産物輸送促進協議会・
UV19A（12ftコンテナ）
野菜輸送用のコンテナ。●朗堂

JA 徳之島・UF15A
（12ftコンテナ）
奄美方面からの船便で運ばれたコンテ
ナ。●朗堂

三ッ輪運輸・UR19A-11000
JOTのピンクラインが入るタイプで、環
境世紀ロゴ入り。●朗堂

RICOH UR19A
（12ftコンテナ）
沼津を拠点に札幌(タ)・広島(タ)・福
岡(タ)・鳥栖などに使われる。●朗堂

大成ラミック・UR19A-11000
DANGAN G2は液体包装充填機のこ
と。●朗堂

ホクレン・UR18A
（12ftコンテナ）
北海道の野菜輸送に使われ、首都圏に
も顔をみせる。●朗堂

北海道ジェイアール物流・
UR18A（12ftコンテナ）
生鮮品の全国配送をおこなう。●朗堂

日産U20A
本州〜九州を中心に自動車部品輸送に
使われる。●TOMIX

1/150スケール・彩色済・組立てキット

こんてにゃあ製
「国鉄・冷蔵コンテナ R10 形式 & R13 形式」

一種規格「国鉄・冷蔵コンテナ」の差異を細部までつくり分けで再現。
表記類は印刷済みで、車体番号はステッカー貼り。

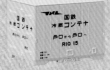
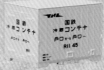

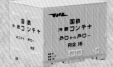

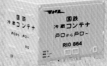

「国鉄・冷蔵コンテナ R10 形式」

・1箱で、R10形式×3個と、R11（R12）形式×3個を組み立てられる。側板・屋根板がはみ出た初期構造の特徴を再現。各種の脚部・票受け・扉の差異もつくり分け。

・内容：R10形式 初期タイプ（4〜43）×2個、R11形式 後期タイプ（53〜152）、R12形式（1〜50）、R10形式 中期タイプ（44〜693）、R11形式 初期タイプ（3〜52）

「国鉄・冷蔵コンテナ R13 形式」

・1箱で、R13形式×3個と、R10形式（後期）×3個を組み立てられる。コンテナの表記印刷は、R13形式、R10形式とも、2種類入っている。また、R13は側扉が引っ込んだ複雑な形状を、R10後期は溶接方式となった後期の構体をそれぞれ再現。

・内容：R10形式 後期タイプ・第4期塗装（894〜1343）×2個、R13形式 富士重工タイプ（1〜25、46〜80）×2個、R10形式 後期タイプ（694〜893）、R13形式 東急タイプ（26〜45）

地色の「白色」は3種のバラつき表現で彩色。また、「コンテナ連結パーツ」で更新後4個積みコキ車にも「5個積み」ができる。

1箱・6個入り、税込1,980円、
発売元：SHOPねこまた

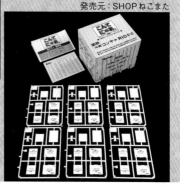

貨物専用線 ガイド

旅客営業線では味わえない独特な雰囲気が魅力の貨物専用線。
鉱石輸送、工場専用線、臨港線など
多様な世界を模型に取り入れるアイデアを紹介。

専用線の世界にようこそ！

トラックに置き換えが進んだ貨物輸送だが模型で再現したい路線もある。
廃止されてしまった路線も含めそれらの一部を紹介しよう。

太平洋石炭販売輸送臨港線

かつて北海道や九州各地にあった炭鉱で採掘された石炭を輸送する運炭列車。

貯炭方法はダイナミックで、建屋もないスペースに高架の桟橋から石炭を落とし込む方式を採用する。桟橋があれば簡単に再現できそうな情景だ。

日本で唯一のアメリカンロコが活躍していた。沿線の海岸には崖が多く、大陸的な雰囲気を味わえる情景だ。2019年6月末で廃止となった。

国内で最後まで残った運炭列車。貯炭場の石炭は奥の港へ運ばれ船便で出荷されていく。

国内唯一の本格アメリカンロコだったDE600。変わり種の機関車が走るのが専用線のおもしろさ。

八幡製鉄所くろがね線

製鉄所内には溶かした鉄を運搬する専用線が工場内に敷設されていることが多い。

八幡製鉄所では工場敷地から離れて路線を敷設し、鉄の運搬でなく2つ離れた工場間を結んで資材や廃棄物を運搬している。

製鉄所内を走る機関車だけあって、見た目が錆色の武骨な姿。さらに運搬する荷物も製鉄関連を運ぶので超重量級だ。電気機関車に補機としてディーゼル機関車が後部につくプッシュプルで運用されることが多い。

戦前の1930年開業と歴史も古く、トンネルポータルや石垣など随所に開業当時の面影が見られる。かつては複線だったが、現在は単線となり線路跡は水路になっている。

住宅街の脇を錆び付いた列車が走る光景が見られる。

後部補機はディーゼル機関車。歴史あるトンネルポータルは専用線にしてはかなり立派だ。

西濃鉄道

　岐阜県大垣市に路線を有する西濃鉄道は石灰輸送でよく知られ、かつては旅客営業をおこなっていた他、電化路線も所有していた比較的大きな私鉄であった。現在は美濃赤坂～乙女坂間の一路線のみ残存しており、元国鉄のDE10や自社発注機関車で運用される。そして貨物としてJR東海道線に乗り入れをおこなっている。

　乙女坂駅付近には、石灰を受け渡すホッパー施設や関連工場が建ち並び、にぎわいを見せる。カラフルな建物も魅力的で模型栄えする情景が続く。

　乙女坂駅から先は廃線跡が続き、かつての貨物取り扱い跡が側道から眺められ、資料集めにも最適な路線だ。

配管が縦横無尽に巡っている中を走るDE10。

大王製紙専用線

　予讃線の伊予三島駅から分岐して専用線と名乗っているがこじんまりとした貨物駅。自社工場で生産された製品などを出荷するためにつくられた。だが、スイッチャーを3機所有し小規模なわりには規模が大きいともいえる。

　現在はコンテナ輸送のみとなったが、かつて製紙系を運ぶ貨物列車といえばワム80000が主流だった。

　模型ではワム数両とスイッチャーをつなげて遊ぶのもおもしろそうだ。

貨物駅で入れ替えするスイッチャー。後ろの社宅と工場の煙突で紙の街を想起させるストラクチャーが多い。

三井化学専用線

　炭鉱鉄道として栄えた三井三池鉄道。炭鉱から国鉄などへ石炭を受け渡す専用線や職員輸送に従事していた鉄道でもあった。相次ぐ炭鉱業の衰退によって三井三池炭鉱も例外なく閉山となった。しかし、炭鉱鉄道がなくとも貨物輸送の需要があり専用線として一部が残っていた。

　特徴は、電気機関車でありながら工場内はパンタグラフを下ろして走るユニークな運行形態。これは工場内が火気厳禁に由来していて、パンタグラフのスパークによる火災を未然に防ぐ措置だ。そのため機関車には蓄電池車が必ず連結され工場内を運用していた。2020年5月に運行が終了となった。

古典ロコがパンタグラフを下ろして走る姿が見られた。

四日市貨物専用線

　倉庫街を走る鉄道は、模型的にはわくわくしそうな情景のひとつ。旅客路線と違って線路柵が少ない場所も多く線路と距離が近いのも魅惑のひとつで、線路柵があっても低いガードレールのみ。この情景にJR貨物のDD51がタキ1900を連ねて走行するのが名物だったが、DD51は2021年3月で定期運用を離れDF200に置き換えられた。

　この路線は現役の架道橋を有していることでも名高い。運河やそういった橋梁と合わせた情景を組みたいところだ。

夕日に照らされた更新機のDD51。雰囲気的にはDD13も似合いそうな光景だ。

周辺施設を考察

専用線には旅客営業線ではなかなか見られない施設が多く点在。
模型で専用線を再現するためのストラクチャー代用術を紹介。情景づくりの参考にしてほしい。

鉱山施設

鉱山施設で欠かせないストラクチャーといえば鉱石を一時保管するためのホッパー。ジオコレの給炭ホッパーを活用したい。

ホッパーの大きさや形状はさまざまで、単線で無蓋車1〜2両程度対応の小さいサイズから10両程度の編成が収まりそうな長いもの、さらには複数線にも対応できるタイプまで多くのバリエーションが存在する。

ジオコレの給炭ホッパーは、蒸気機関車に石炭をくべるための大きさで、無蓋車1両分程度の長さしかないが、この規模のホッパーも存在するので十分代用可能だ。

ジオコレの給炭ホッパーとサイズ感が近い西濃鉄道で使用されたホッパー。ベルトコンベアは線路に対し垂直に伸びている。

ホッパーの後ろにもベルトコンベアでつながった施設が多いので、創意工夫で再現しよう。グリーンマックスのプラント工場などを使えば似たようなものがつくれそうだ。

袋セメントなどを出荷していたであろう施設。ジオコレの貨物ホームなどで再現ができそうだ。

実物のホッパーと周辺施設を見てみよう!

鉱山の専用線で運搬する貨物は鉱石のみではなく、石灰石なら袋セメント出荷用の貨物ホームも存在する。また、袋セメントに加工する工場も隣接する、ホッパー周辺もにぎやかだ。

金属系の鉱山ならば、副産物も運搬するためタンク車用の詰め込み施設などが併設されることも多い。その際はタンクやパイプなども配置すれば金属系鉱山らしい情景になっていく。

小物に注目

工場周辺にはさまざまな構造物があるが、これらを再現する製品がなかなか見られない。ちょっとした小物などで装飾に役立ちそうな製品をピックアップしてみた。

架線柱の不要箇所を切除して安全標語を掲げるフレームにしてみた。電柱の役割も兼ねさせるために左側の囲みだけを残している。

ゲートや時計などはジオコレの駅前・公園Aを使用。さらに、実際に仮配置してみた。ゲート両脇の空いたスペースに塀を設置すれば、より工場らしさが生まれる。

倉庫街をつくる

専用線らしい風景のひとつが臨港線。これらの情景をづくりに欠かせないのが倉庫だ。
倉庫そのもののストラクチャーもあるが、他の製品での代用術も考えてみよう。

倉庫として活用しよう

　ストラクチャーは製品名通りに使う必要があると錯覚しがちだが、そういった固定概念を吹き飛ばし、倉庫の代用品として活用できそうなジオコレをピックアップしてみた。

　ドーム状の屋根が特徴の「漁港B」は窓が多めで倉庫らしくないが、全体的なシルエットはとても素晴らしい。そのまま流用したり窓を埋める改造もよいだろう。

　「酒蔵」は、越屋根で窓が少なく扉が大きいので倉庫として流用可能な製品のひとつだ。外板が木造で筋が縦に入り茶色ではあるが、グレーに塗り替えれば気になる縦筋もスレートのようになるだろう。

全体的な形状は倉庫として流用可能な漁港B（左）と酒蔵（右）。あとは少し加工を施せば、倉庫らしい建物となるだろう。

（左）漁港をスチレンボードでかさ上げして車両の高さに合うよう調整してみた。フォークリフトや荷物を置くことで、倉庫らしさが増している。
（右）グリーンマックスの扉が開閉するコンテナを使えば、積み込み作業も再現できる。

積み込み施設の脇役たち

　荷物の積み込み施設で欠かせないのがフォークリフトと積荷だ。ジオコレをはじめとして、サードパーティなどでも積荷やパレットなどの製品が多数販売されて小物も充実している。

　有蓋車はドアが開閉できるようになり、扉が開閉するコンテナも製品化された。これらの荷物やコンテナを運ぶためのフォークリフトも充実してきている。

各社から販売されているフォークリフトで、左からTOMIX、アオシマ、KATOとなる。TOMIXとKATOはコンテナ輸送向けで、アオシマはコンテナ内の荷物向けだ。

グリーンマックスは、戸が開閉するコンテナがリリースされている。セットには積荷も含まれうれしいポイント。

コンテナヤードを再現

　コンテナヤードの一部はフォークリフトの行き来をするため、線路がアスファルトで埋まっている。この情景を手っ取り早く再現する方法は、トミーテックのワイドトラムレールを使うやり方だ。地面に関しては、レールの高さに合った板を用いればお手軽に貨物ヤードが楽しめる。

　地面は道路パターンが印刷されたシートに、コンテナヤードのパターンがあるので、これを利用すると簡単につくれる。

「貼るダケシリーズ」（もけいや松原）のコンテナヤード。両面テープをシートに貼り付ければお手軽に道路パターンが再現できる。

TOMIXのワイドトラムレールと合わせればお座敷レイアウトでもあっという間にコンテナヤードの完成だ。

沿線風景も見てみよう

専用線や臨港線も工場などの私有地を離れ、街中に線路がある路線も多い。
それらの特徴、特色なども知っていこう。

特殊な建物が多い沿線

　専用線といえば工業地帯を連想するが、工場街以外を走ることも多い。鉱石輸送系は、採掘される鉱山が山奥にあったりするので、鉱山から積み下ろし駅までの間はローカルな風景を走っている。

　臨港線なども、文字通り湾岸地区の倉庫街を走るイメージだが、こちらもJRからの荷物引き渡し駅から臨港地区までの区間は住宅地の中を貫いて走行している。

　専用線の駅周辺は特殊な建物が多く、模型化にはハードルが高いかもしれない。だが通常の鉄道と変わらない風景を走ることも多々あるので、自由に考えてみてもよい。

岩手開発鉄道は鉱山と湾岸地区の工業地帯を結ぶ鉄道だが、鉱山が近づくにつれ、情景もローカルな雰囲気に変化する。

工場をバックに走る水島臨海鉄道だが、工場の緑化運動などで周囲も緑に囲まれている。

名古屋臨海鉄道は大きな道路が数カ所交差していて、渋滞緩和などの目的で高架化されている。

化学工場の専用鉄道だった三井化学専用線。工場専用線らしく線路沿いにパイプが続き、工場敷地外にもパイプが敷かれている。

(アナログな鉄道設備)

　専用線によっては土日運休や運転頻度も1日数往復程度という路線も少なくない。そういった環境のためか、手動踏切が21世紀の現在も未だに現役の場所もある。また、交通量の少ない工場地帯では、幅の広い道路ながら第四種踏切も存在している。

　さらにはポイント関連も自動化されていない線区も多く、誘導員が手動でポイントのテコを変えている光景もたくさん見られる。近くにはポイント小屋があるのも特徴のひとつだ。ポイント近くに小屋を設置することで、より専用線の雰囲気が醸し出せる。

幅広い産業用道路を横断するスイッチャー。遮断棒や警報機がないのでガードマンが体を張って道路を閉鎖する。

踏切標識と呼べるか怪しいレベル。交通量や列車本数も限られるので、簡易表示でもいいはずだ。

滑車を伝って遮断機が降りてくる仕掛けの懐かしい踏切だ。これには警報機が付いていない。

かつては多く見られた踏切小屋も存在する。

こちらはポイント小屋だ。ここから各々のポイントへケーブルが伸びて進路変更をおこなう。

ワイヤーは鉄製の蓋で保護されている。

電子制御化されたポイントにも小屋が存在している。

機関車に注目！

専用線の機関車もバリエーションに富んで見ていて飽きない。
ここではかつて活躍したものも含め機関車のバリエーションと遊び方を紹介しよう。

DD13と同クラスの類似機

DD13タイプの機関車は、大きく分けて国鉄譲渡型と自社発注型の2パターンにわかれる。

自社発注型で多く見られる形態差は、キャブの前面窓だ。国鉄型ではキャブの両側に乗務員扉を有するのに対し、自社発注型は乗務員扉が片側のみ設置。片側の前面窓が大きいのが特徴といえよう。この形態を採用した会社は小坂鉄道や同和鉱業鉄道などさまざまな臨海鉄道で見られる。

ヘッドライトも会社間で異なる場合もあり、名古屋臨海鉄道の所属車は初期型を彷彿とさせるボンネットに中央1灯の車両が多く在籍する。なかには国鉄色風塗装もありユニークだ。

一方で、ライトを増設した形態も存在していて、炭鉱鉄道で活躍した車両はヘッドライトを縦に2灯ずつ並べ4灯に改造された。この機関車は三井芦別鉄道で活躍後、1両は譲渡されて遠く離れた京葉臨海鉄道で運用され続けていた。

また、キャブ形状そのものを変更した車両も存在する。岩手開発鉄道の機関車はキャブが低くなった上に、ひさしが伸びているため日本離れしたデザインとなっている。三井芦別鉄道の機関車も同じくキャブデザインが大きく異なるのも特徴のひとつだ。

①国鉄色風のDD13とオリジナル塗装が行き交う名古屋臨海鉄道。汚れ具合も生きた機関車といった雰囲気があり、ウェザリングにも挑戦したくなる。②自社発注の機関車ながら国鉄DD13にそっくり。塗り替えだけで再現できそうだ。③前面窓に注目すると乗務員扉だった部分に大型の1枚窓が備わる。

④DD13クラスの三井芦別鉄道DD500はライト4灯にオリジナルのキャブ。⑤一見すると初期型だが、ラジエーターグリルが小さい後期型といえる。⑥DD13派生機とされている岩手開発鉄道DD56。低いキャブと前面窓からドイツDLを想起させるデザインだ。

スイッチャーで遊ぼう!

小型機関車モデルが多くなってスイッチャーで遊べる車両も増えてきた。
小さいスペースで遊べることも魅力のひとつでもある。

どんな機関車があるの?

　TOMIXはNゲージ参入当初より、スイッチャーに使えそうな機関車を発売していた。最初期の機関車はバックマン製のC型ディーゼル機関車を国鉄色風に塗り替えていた。その後、自社製品のDD51をショーティ化したようなオリジナルC型ディーゼル機関車も存在していたが、しばらくして市場から消えてしまった。しかし、動力をリニューアルして再度発売している。

　キットでは昔からガレージメーカーが難易度の高いキットの販売をしていたが、アルナインがBトレの動力ユニットを使って走らせる簡単シリーズをはじめたキットをリリース。フリーランス車両だが実車にありそうな雰囲気

中央のワールド工芸のキットを除けばどれも自由形だが、どこかに実在しそうな雰囲気を醸し出しているから不思議だ。

があり、種類の多いスイッチャーを楽しむぶんには問題ないだろう。

　また、金属キットで有名なワールド工芸からもプラスチックキットが販売され、スイッチャーに使える機関車を豊富にラインナップしている。

---

column

実物のスイッチャーも見てみよう!

　実際に走っている現役のスイッチャーを見てみよう。色、年式や車両メーカーによってデザインもさまざま。
　実物通りでなくともそっくりな機関車は見つかるので、自由形でつくってもさまになる。こういった機関車なら肩の力を抜いて、大いに自由な発想で遊んでみよう!

大王製紙専用線で活躍しているスイッチャーの一例。両車は日本車輌製だが、年式などにより外観が大きく異なる。

①水島臨海鉄道で活躍しているボギータイプのスイッチャー。DD13よりひとまわり小さく、アルナインの製品に近いタイプだ。国鉄色に塗られた実物が自由形に見える。②こちらも大王製紙専用線で活躍している日本車輌製のスイッチャー。同じ日本通運の委託だが、塗色が青に変更されている。③太平洋セメント専用線で活躍するスイッチャー。同じ会社でも用途が異なるためか、色が異なっている。

専用線内の貨物列車

汎用性の高い車両に見えて実は個性的！？
専用線内で牽引される車両たちにも注目だ。

ユニークな専用線貨車

　専用線にはJRなどの他社線とつながり貨物が行き来する路線と、自社線内専用路線の2種類が存在する。

　前者の場合はJR貨物でも運用されている車両なのでJRの車両形式名が振られる。用途が限られていても見慣れた貨物車両となる。

　専用線内限定の車両だと、独自基準さえ満たせば問題なく、独特な形状を持つ場合もある。

　岩手開発鉄道では、かつて石炭輸送で大活躍したセキ3000形と同型車両を使用し、台車交換を実施しているものの未だ健在だ。

石灰輸送の車両のためか白く汚れているのが特徴。他に国鉄時代に入っていた黄色帯が省略されているなど国鉄車両と違いがある。また、同じ会社の車両ながらもリブの数が違ったりと個体差が見られる。

　国内唯一の運炭列車を運行していた太平洋石炭販売輸送専用線の貨車は、一見するとセキ3000形と同系列に見えるが、貨物車両でも珍しい連接構造である。この連接車がユニットを組んで編成化している。

　一般的なセキ3000系列の車両に見えながらも違いが多いのも、専用線のおもしろさのひとつだ。

一見すると石炭輸送のセキ3000に見えるが、石灰輸送に使われる岩手開発鉄道のホキ100。

国鉄では姿を消したセキ3000（写真は改造後のセキ6000）だが、岩手開発鉄道では同形式が現役だ。

同じ会社の同一車両でもリブの位置や数が異なっているものがある。

太平洋石炭販売輸送専用線の貨車は連接車になっていた。リブも斜めがけに入り似通ったデザインながらも、細部がいろいろ異なる。

コンパクトに楽しめる

入れ換え運転を遊ぶ

貨物駅をそのまま模型で表現するのは難しいが、
簡易的なヤードの配線をつくって荷役作業を再現する例を紹介しよう。

2列車を入れ換える

直線が約2mのエンドレスに、荷役線と着発線を1本ずつ用意。それぞれの着発線にはギャップを切り、ポイントとギャップの間に機関車を待機できるようにする。つなげられる編成は4両程度。入れ換え運転の楽しさは編成の長さに依存しないので、いろいろ工夫して走らせよう。

使用したレール
（※ TOMIX）

- S280 × 14
- S140 × 5
- S140-WT × 4
- C243-45 × 8
- C541-15 × 2
- S70 × 1
- M70 × 2
- V70 × 1
- G70 × 2
- PR541-15 × 2
- PL541-15 × 2

本線
列車A
ギャップ
着発線　列車B
ギャップ　荷役線

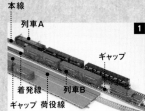

まずは本線上の列車Aを荷役線に走らせる。この際、ポイントは着発線に向けないようにする。

2 列車Aの機関車だけを荷役線のギャップの先まで走らせて切り離す。

3 ポイントを着発線に切り替え、入換機を荷役線に向かわせる。ギャップの向こうにいる本務機には通電しないので動かない。

4 入換機と列車Aを連結したらポイントを切り替え、本務機を列車Bにつなげる。

5 着発線を発車した列車Bをある程度本線で走らせたら、本線のポイントとポイントの間にとめる。

6 荷役の終わった列車Aを着発線に移動。ギャップの手前で入換機をとめて切り離す。これで一巡。

新居浜駅でのコンテナ積載の様子。実際の貨物駅を訪ねてその様子を観察し、自分のレイアウトに活かしてみよう。写真◎編集部

入換機関車はなぜディーゼルカーなのか

電化区間にある隅田川駅や東京貨物ターミナル駅でも、入れ換えにはディーゼル機関車を使用している。これは、フォークリフトでコンテナを持ち上げる際に架線に接触しないよう、荷役線では架線を張っていないため。

入れ替えにはDE10やDE11などが使われる。DE10 ● TOMIX

魅惑の車掌車

国鉄時代の貨物列車の最後尾についていた黒い車両、それが車掌車だ。
当時の貨物列車再現には欠かせないが、
車掌車にもいろいろな形式がありそれぞれ魅力があった。

そこは車掌のオフィス

かつて貨物列車に車掌が乗務していた時代のこと。編成の最後尾についていた車掌車は車掌のオフィスだった。乗務中に必要な書類を作成したり、駅に着いたら速やかに入換をおこなうための待機所でもあった。

一見、すべて同じようにみえる車掌車ではあるが、時代とともに進化を遂げてきた。その進化とはすなわち、乗務員の職場環境の向上を目的としたものであった。

車掌車には複数の車掌が乗務するが、戦前の車掌車は数人が乗り込むには難がある狭さであった。

増えたバリエーション

戦後最初の車掌車となったヨ3500は、戦前の車掌車よりもスペースが拡大され居住性が改善された。さらにスピードアップに対応したヨ5000が登場。合理化により車掌車に複数人が乗車する機会が減ると、それにあわせて小型化したヨ6000が登場する。さらなる居住性改善により、トイレを設置したのがヨ8000という流れになる。

貨物列車における車掌車の役割

貨物列車に乗務する車掌は、駅に到着すると貨車の増解結を機関士に指示して入換・誘導や車両検査をおこなう。さらに駅間走行中は途中駅で増解結した貨車を台帳に記録するといった仕事もある。また、貨物列車は長丁場の運用になるので、車掌車にはある程度の広さと車掌が休息できる設備が必要だった。

かつてはテールランプで最後尾を主張した車掌車。車掌車が連結されなくなった現在では反射板で代用される。ヨ5000 ●KATO、コキ107 ●TOMIX

国鉄時代の貨物列車なら、やはり最後尾に車掌車をつなぎたい。時代設定、路線設定などを考えつつ適切な車掌車を連結しよう。ヨ5000・ワラ1・トキ25000・チキ5000・レ12000・タキ3000 ●すべてKATO
写真◎金盛正樹

　ちなみにヨ3500〜ヨ8000の各型式は国鉄分割民営化まで残っていたが、ヨ8000は蒸気機関車牽引列車の全廃間際に登場したため蒸気機関車に牽引された実績はほぼない。また、碓氷峠の勾配区間を通過する貨物列車ではヨ3500が限定的に使われるといった運用上の制約もある。これらを鑑みながら車掌車を連結していこう。

車掌車の進化

1
戦前型の車掌車から居住性を改善
ヨ3500

戦前製造されたヨ2000をベースに、乗務員の居住性改善策としてだるまストーブと電灯が設置された。●マイクロエース

2
スピードアップに対応した車掌車
ヨ5000

貨物列車の最高速度を85km/hに向上させる際、ヨ3500では脱線の危険があるため、走り装置の担いバネを二段リンクにしたのがヨ5000。●KATO

3
ローカルに対応すべく小型化
ヨ6000

ヨ6000は有蓋緩急車（ワフ）を置き換えるため、2人乗務に向くよう従来よりも車体がやや小型化されている。●TOMIX

4
待望のトイレが設置された快適版
ヨ8000

車掌車の居住性を高めるためにトイレを設置し、暖房設備は石油ストーブに、そして室内灯は蛍光灯に進化した。●マイクロエース

ク5000の編成では機関車の前後に車掌車がつながる例がよくみられた。EF65・ヨ5000 ● TOMIX、ク5000 ● KATO

基本は最後部だが

　車掌車の役割のひとつとして、いざというときの列車防護が挙げられる。そのため車掌車は基本的に最後部に連結される。シキ600などのように前後に連結する例や、途中駅で分割することを見越して中間に車掌車が挟まる例もあるが、この場合も原則として最後部に車掌車が連結される。ただし、旅客列車と貨物列車がひとつの編成となった混合列車の場合はその限りではない。

私鉄の車掌車

　かつては各地の私鉄も貨物輸送をおこなっていた。私鉄の場合、国鉄ほど長い距離を走ることはないため、簡素な設備の車掌車か、もしくは連結しないケースも多かったが、東武鉄道のように独自の車掌車を持つところもあった。東武鉄道のそれは国鉄とは異なり緑色に塗られ、独特の雰囲気を放っていた。

東武鉄道の車掌車。当初は緑色であったが徐々に茶色に塗りかえられていった。全長が貨車と同じ長さなのでヨ8000などとくらべてもデッキが広いのが特徴だ。● トミーテック

車掌車だけの編成?

　車掌車だけの編成というのも存在した。甲種車両輸送で鉄道会社に新車を輸送した帰り道、車掌車だけで組まれた回送列車がそれだ。新車投入が重なるとヨ8000を4両ほど連ねた列車をみることができた。模型でも再現したくなるちょっとユニークな編成だ。

ローカル線では最低限の業務設備があればよい、という考えのもと合造車掌車が誕生した。ワフ2500 ● 河合商会

合造車掌車

　運転区間の短い私鉄やローカル線では、貨車の一端に簡易な車掌室を設置した車両が使われることがあった。ローカル線では駅の有効長に限りがあるので、荷物を載せない車掌車は極力小さくしたかったというのも理由のひとつだ。もちろん、これらの貨車は長距離の運用に組み込まれることはあまりない。

80年代あたりからこのようなつなぎ方がみられるので、模型で編成を組む際に考慮してみるといいだろう。EF65 ● TOMIX、コキフ10000・コキ10000 ● KATO

コキフのつなぎ方

コキフ10000をつなぐ際、車掌室の向きをどうするか気になるところ。実際、車掌室は列車によってコンテナ側を向いたり機関車側を向いたりしている。理由は諸説あるが定かではない。

甲種車両輸送後、車掌車を返却する場合にみられた「ヨ」だけの編成。DE10 ● TOMIX、ヨ8000 ● マイクロエース.TOMIX

機関車に装備できないATSを車掌車に装備したため、東武鉄道のヨ8000は最後部ではなく機関車直後に連結される。● マイクロエース

column 電車につないだヨ8000

1987年に特急『有明』が非電化区間の豊肥本線に直通する際、ヨ8000がサービス電源を供給する車両に改造された。ちょうど車掌車廃止で車両がだぶついていたところに白羽の矢が立った形だ。車掌車内には発電機が、床下には燃料タンクなどが搭載された。

783系登場後はヨ8000も『ハイパーサルーン』カラーとなって活躍した。● マイクロエース

碓氷峠の控車として

碓氷峠は急勾配のため、麓側の車両に編成の重量がかかってしまう。そうなると二段リンクバネでは車掌車が浮き上がり脱線する危険がある。そのため新しいヨ6000などが登場した後でも、碓氷峠を通過する車掌車はバネが硬い一段リンク式のヨ3500が使われた。

碓氷峠通過用のヨ3500にはデッキに縦の白線が入っている。● KATO

今も車掌車は活躍している

現在、車掌車が活用されている例はシキ600などの係員添乗用や工事用が中心で、本来の「車掌乗務用」には使われていない。東武鉄道に譲渡され、SL『大樹』などに連結されているヨ8000は、ATSを装備しているため、最後部ではなく機関車の直後が連結位置となっている。

工事列車は場所も一緒に遊ぶ車両も選ばないのがうれしい。EF65・E233系●TOMIX、チキ5500●甲府モデル

マニアックなジャンル

工事列車で遊ぼう

線路の保守などを目的に運転されるレアな貨物が工事列車。
なかなか見られないことから人気な列車を模型で楽しんでみよう。

レール輸送シーンを再現する

専用車チキで運ぶ

　レール輸送はレールの長さによりおもに2種類に分類される。定尺レールと呼ばれる25m長のレール輸送と、ロングレールと呼ばれる200m前後の長さのレール輸送だ。レールの長さが異なれば編成の組み方も変わってくるし、レールを保持するための緊締装置の形状なども大きく違う。

　定尺レール輸送の場合、大半はチキ2両1組がワンユニットで編成され運用される。車

総数13両にもおよぶ長編成のロンチキ。形式はチキ5500で、JR東日本のB編成と呼ばれる編成がモデルとなっている。チキ5500●甲府モデル

種によって編成の組み方は変わり、車種にもよるが緊締装置などもシンプルなものが多い。　一方のロングレール輸送は200mのレールを運搬するので長編成となる。レールを取りおろすのに使用するスロープを有したエプ

JR東日本では編成の両端にレールを取り卸すエプロン車がつながる。見てのとおり複雑な構造になっている。●甲府モデル

中間車の多くはガイドが載っている。T字の棒は作業灯だ。●甲府モデル

編成のほぼ中央に連結されている車両がレール緊締車となっている。●甲府モデル

ロン車の連結などがみられ、物々しい外観となっている。貨物列車では珍しい固定編成で運用されることが多く、「ロンチキ」の愛称で親しまれている。

　前者の定尺レール輸送のチキは比較的構造がシンプルなことから、サードパーティメーカーからプラスチックキットやコンバージョンキットなどの製品が出ている。

　後者のロンチキは構造が複雑ゆえに、金属キットでしか製品がなかったが、ペーパーキットメーカーの甲府モデルが市場に参入。ペーパーキットでもロンチキが販売され、製品のバリエーションが増えてきている。

定尺の25mレールを運搬するチキ。写真は比較的オーソドックスな緊締装置を有したチキ6000。●コムモデル

チキの編成と牽引機

チキはさまざまなメーカーから製品化されている。ここでは比較的組みやすそうな甲府モデルの製品をピックアップし、その魅力を追求していきたい。機関車とあわせてレール輸送ライフを楽しもう!

チキ5500
レール輸送車 タイプB

　JR東日本で活躍するチキ5500のB編成がモデルになった製品で、牽引機は同じくJR東日本の機関車が担当。乗り入れる線区によって機関車が変わってくるが、EF65やEF81が中心となって運用に入る。実物ではキヤE195の置き換え対象となり、編成がバラされて廃車となってしまったようだ。

牽引はJR東日本の機関車が担当。特別な塗装のいわゆる「ネタ釜」が牽引を担当することも。EF65・EF81 ●TOMIX、チキ5500 ●甲府モデル

チキ6000
レール輸送車タイプD 九州仕様

　JR九州仕様のチキ6000。関東ではあまりなじみのない仕様だが、50mレール輸送をする車両のため、4両編成で組成されている。レールの緊締装置なども、ロンチキのようなガイドと緊締車になっているのが特徴だ。

JR九州の所有する機関車も極端に減ってしまい、使用車両はDE10だ。DE10 ●KATO、チキ6000 ●甲府モデル

チキ5500
レール輸送車タイプA 中国・近畿仕様

　JR西日本タイプのチキ5500だ。3両で1編成になっているが、これにチキ6000の4両編成も加わり長編成で運用されることが多い。チキ6000もタイプD中国・近畿仕様として販売中なので、一緒に買ってつなげてみよう!

EF65の牽引が圧倒的に多い印象の西日本のチキ5500。EF65 ●TOMIX、チキ5500 ●甲府モデル

チキ5200
レール輸送車

　25mの定尺レール輸送車で、こちらの製品は場所を問わず全国各地でみられる仕様の車両となっている。機関車も基本的には旅客営業社所有のものであれば問題なく使える。2両ワンユニットで、これらをつなげて長編成として遊ぶことも可能だ。

機関車を選ばずにお手軽に遊べるすぐれもの。DD51 ●TOMIX、チキ5200 ●甲府モデル

気動車化されたレール輸送

自走可能なキヤ97

定期客車列車がなくなった現在、旅客会社にとって機関車は基本的に必要のないものだ。だが、実際にはレール輸送列車などを運行するための機関車を保有し、機関車を運転できる人員も確保しなくてはならず、非効率となってきている。

JR東海ではいち早くバラスト輸送をトラックや保守用車両に転換し、レール輸送には気動車を用い効率化を図った。そこで登場したのがレール輸送に特化したキヤ97だ。チキの前後に運転台を付けたような見た目の車両で、定尺レール輸送用のほか、ロングレール運搬用の200番代も登場している。

模型ではワールド工芸がプラスチックキットで製品化している。定尺レール輸送の0番代のほか、ロングレール輸送の200番代も製品になっている。ただし、後者の200番代車は

クモル145を彷彿とさせる見ためのキヤ97 ●ワールド工芸

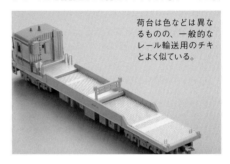

荷台は色などは異なるものの、一般的なレール輸送用のチキとよく似ている。

両端の先頭車のみで、中間車は残念ながら製品化されておらず、フル編成での再現はできない。

京王の工事列車

大手私鉄の工事列車も多くはトラックや保守用車両に転換されていったが、京王では工事用の貨物列車を運行する。といっても先述したような線路輸送やバラスト散布などではなく、おもに工事の資材運搬。駅の改良工事などに使用する空調設備などの運搬に使用されている。

荷台部にカバーを設けてうまくモーターを隠したキット。京都風デト ●アルモデル

電動貨車で遊ぶ

工事などに使用される電動貨車は地方私鉄などで多くみられた。現在も叡山電鉄や嵐山電鉄、箱根登山鉄道などで活躍している。どうしてもマニアックな車両となってしまうため、模型の製品は少ないが、アルモデルからは叡電や嵐電風の電動貨車が販売されている。また、ワールド工芸では土佐電の貨車1号風の電動貨車が製品化済みだ。いずれも単独で走らせることができる構造となっている。

20m級電車の間にフラットな貨車が組み込まれるユニークな編成だ ●マイクロエース

保守用車両

今も昔も工事列車には欠かせないのが小まわりのきく保守用車両たちだ。この世界も、自走可能な車両が多く製品化され、工事列車を楽しむ幅も大きく広がってきている。とくに機関車的存在のモーターカーは各種年代の模型が増えてきているので、さまざまな楽しみ方ができそうだ。

保線基地の入換作業などでは、本線上で運用されてきたチキやホキをモーターカーが牽引するシーンなども見られるため、カプラーさえ合致していればほかの貨車との組み合わせでも遊べる。

TMC100

さすがに現役車は激減している。製品は走行可能だ。●津川洋行

TMC100（除雪車）

TMC100の除雪車版。夏場は除雪装置を外して保線の運用に就くこともある。●津川洋行

TMC200

TMC100の後継車。TMC100は活躍の場がだいぶ少なくなってきているが、こちらはまだまだ現役。●ワールド工芸

TMC400

見た目も近代的になった。黄色一色より、保線事業者カラーの車両が多い印象の車両だ。●ワールド工芸

軌道モーターカー1号

ポケットライン動力を用いてつくるペーパー製モーターカー。製品名は軌道モーターカー1号だが、MCR-600によく似ている。●甲府モデル

軌道モーターカー

ポケットライン動力を用いてつくる「とても簡単な」軌道モーターカー。私鉄に多い松山重工業製のモーターカーによく似ている。●アルモデル

保線用ホッパー

保守用車両の貨車も充実しつつある。ペーパーキットで運転席付きと通常の2種類が製品化済みだ。●甲府モデル

ワンフレームトロ

こちらは線路輸送用の貨車となっている。●甲府モデル

監視車

おもにワンフレームトロの後部に連結されることの多い監視車。●甲府モデル

二軸ダンプトロリー車

作業室付きの車両と2種類が製品化されている。●アルモデル

ホキ800も基本的に牽引車を選ばずに遊べる。●TOMIX

幅広く遊べるホキ800

バラスト輸送を再現

　線路を固定させるために使用される砕石のバラスト。これらは定期的に交換する必要があり、バラスト輸送の貨物列車は各地で運行されている。使用車両は採石場から施工区間まで運搬が可能で、作業も可能なホキ800が重宝され、JRはもちろん、私鉄でも同型車ないし元国鉄車が活躍している。

　編成に関しては施工区間などによって毎回異なり、大抵は2両から8両前後での運用となる。牽引機は基本的に旅客会社の保有する機関車となっており、北海道などの降雪地帯では夏場は仕事の少ないラッセル車の

DE15が両端のラッセルヘッドを外して運用に就いたりもする。

　編成は基本はホキのみで構成されるが、山陰方面の工臨では近年までヨ8000が併結されて運用されていたり、チキとホキが混成で運用される列車もごく稀だが見られる。

工臨に使用されるホキ800はTOMIXが製品化済み。●TOMIX

基本的にはホキのみで組成できるが、ヨ8000などを連結した運用なども可能だ。DD51、ヨ8000●KATO、ホキ800●TOMIX

バラストを簡易的に再現する

製品のままではバラストがないため空荷になってしまうので、バラストを簡易的に再現してみた。とはいえ、ホキの容器にバラストをすべて積み込むのは大変なうえに空荷状態への復元も難しい。そこで、取り外し可能なバラストをつくってみた。

まずはホキ800の容器の穴にピッタリとはまる蓋を1㎜のプラ板で切り出し、その上にシーナリー用のバラストを散布。後は洗剤などの界面活性剤を浸透させてからボンド水溶液を塗布して固着させる。乾燥後はグレーで軽く色を整えれば完成だ。

バラストの積み方は会社ごとに異なるが、容器の上面とツライチになるようにしてみた。JR東日本でよくみられる。

こちらが外した状態のバラスト。プラ板の上にバラストを固着させただけのシンプルなもの。

（ 私鉄のバラスト輸送 ）

大手、中小問わず、私鉄各社でもバラスト輸送がみられた。現在、大手私鉄各社ではホキ800タイプのバラスト散布車は壊滅的で、保守用車両がもっぱらの主流となっている。

その一方で、地方私鉄では現在もホキ800を用いた工臨もしばし見受けられる。なかには電車牽引のユニークな編成もみられる。お手軽に楽しめる私鉄ホキ工臨を紹介しよう。

大井川鐵道では元西武のE31がホキ工臨を担当することもある。西武E31 ●マイクロエース、ホキ800 ●TOMIX

地方私鉄では戦前型の機関車が運用に就くこともある。ワールド工芸のプラスチックキットで製品化されている弘南鉄道のED22との相性もよい。弘南鉄道ED22 ●ワールド工芸、ホキ800 ●TOMIX

私鉄などでみられる黄色いホキ。限定品ではあるがTOMIXで製品化されている。近江鉄道のED14などとつなげて遊びたい。ホキ800 ●TOMIX

バラスト輸送では無蓋車が抜擢されることもある。完成品では西武のトム301が製品化されている。トム301 ●マイクロエース

黒いホッパ車を連ねて走る、大迫力の秩父鉄道の貨物列車。●マイクロエース

大手から地方中小まで

民鉄の貨物列車

昨今、私鉄の機関車の製品も多くなってきた。
かつてはたくさんの私鉄が貨物列車を運行していたため、その内容は実に多彩だ。
大小さまざまな私鉄の模型を紹介する。

秩父鉄道

関東を代表する私鉄貨物列車

　秩父鉄道はSLの動態保存で広く知られている。SLだけでなく現役の貨物列車も魅力で、鉱石輸送のホッパ車を率いた貨物列車がみられる。機関車は45t級で私鉄に多くみられたサイズ感。以前は他鉄道から譲渡された機関車も含まれていたが、現在は全車が秩父鉄道のオリジナル機関車となっている。

　秩父鉄道ではかつては鉱石輸送のほか、セメントの関連製品や燃料用の石炭を工場に運搬していた。現在では徐々に運転縮小傾向にあり、貨物は鉱石輸送のみとなり、鉱石輸送そのものも減少傾向とのことで、ホッパ車の廃車も発生している。

模型化されている車両

　模型では機関車とホッパ車それぞれがマイ

秩父鉄道線内のみで活躍するヲキ100とヲキフ100。基本的に20両編成で運用されている。●マイクロエース

現在秩父鉄道で最大勢力となったデキ500形。細かい形態差があるのも特徴だ。●マイクロエース

デキ500形の先代、デキ300も製品化済み。外観ではヘッドライトの形状などが異なる。●マイクロエース

クロエースより製品化されている。貨物輸送の主力であるデキ300やデキ500のほか、おもにSLの補機運用に就きながら稀に貨物運用にも抜擢されるデキ200も製品化済みだ。

　金属キットはワールド工芸がデキ100をそれぞれのバリエーションで製品化済みだが現在は品薄状態。近年、引退した元松尾鉱業のデキ107/108あたりも再生産をお願いしたいところだ。

かつてみられた秩父鉄道の貨物列車たち

現在は自社線内で自社のオリジナル貨車のみを運転している秩父鉄道だが、
かつては国鉄（JR）へ乗り入れ可能な貨物列車も多く運転していた。

ホキ5700にチチブセメントのタキ1900やタキ12200を加えよう。
デキ300 ●マイクロエース、ホキ5700 ●KATO

セメント輸送

おもにホッパ車で運転されていた。車両の中心はホキ5700だが単独で組成される運用は少なかったため、タキ1900やタキ12200などを数両編成内に混ぜるとリアルな編成となる。合計6両前後で組み立てるとそれらしくなるだろう。

晩年はチチブセメントの合併により太平洋セメント所有となっていたが、模型ではチチブセメント時代の製品もある。デキ300 ●マイクロエース、ホキ10000 ●ポポンデッタ

石炭輸送

性質は異なるが、かつては国内各地で石炭輸送がみられた。太平洋セメント所有のホキ10000による石炭輸送は国内最後の石炭運搬列車として注目されていた。秩父鉄道三ヶ尻線廃線に伴い2020年に廃止となり、これによりJRとの乗り入れ貨物列車は消滅した。

黒いヲキに見慣れると茶ホキの組み合わせは新鮮に映る。
デキ300 ●マイクロエース、ホキ2500 ●KATO

石灰石輸送

かつて秩父鉄道における鉱石輸送は、自社のヲキ／ヲキフだけの運用に留まらず、国鉄貨車のホキ2500を用いた運用も実施された。5両程度の比較的短編成での運転もみられたので、模型ではヲキの長大編成を組まずにコンパクトに遊べるのも魅力のひとつだ。

---

column 国鉄（JR）に引き継いだ後の機関車は？

秩父鉄道から乗り入れができた路線は高崎線と八高線。高崎線とは熊谷や熊谷貨物ターミナル駅経由で、八高線とは寄居で接続しており、それぞれの駅で貨物の受領をおこなっていた。そのため牽引機は電気機関車だけでなく、ディーゼル機関車もよく見られた。

八高線内での貨物輸送ではDD51が主流となっており、日によっては比較的コンパクトなセメント輸送列車の受け継ぎも実施していた。●TOMIX

高崎線ではEF65が抜擢されていた。2000番代化された車両が熊谷貨物ターミナル駅で並ぶ姿も毎日のように見られた。●TOMIX

三岐鉄道

関西を代表する私鉄貨物

　三重県の三岐鉄道は秩父鉄道と同様に石灰系の運搬業務をこなしている。こちらは鉱石輸送ではなく、工場で加工されたセメントや炭酸カルシウムの運搬業務が主となる。運用している列車はすべてJRへ乗り入れており、富田駅でJR貨物にバトンタッチとなる。

　使用している機関車は秩父鉄道と同様に45t級で、E451やED457は東洋製となっている。このほか元東武鉄道の機関車も集結しており、元ED5000のED485や元ED5060のED459、そして東武時代と車番の変わらないED5058とED5082が運用されている。

東武時代と同じく重連運用を継続して実施しているED5080。●トミーテック

ED451-3は全体的に丸みを帯びているのが特徴。模型では相鉄のED10と色違いで「ED45タイプ」となっている。●マイクロエース

三岐鉄道の貨車事情

　三岐鉄道で使用されている貨車は現在大きくわけて3形式。国鉄時代から継続して運用されているタキ1900に民営化後登場したホキ1000とその後継車のホキ1100となる。

タキ1900

　タキ1900は粉状のセメントを運搬する粉物輸送の貨車だ。製造時期や保有会社によって外観のバリエーションが非常に多く、三岐鉄道線内で運用されているタキ1900はおおまかにわけて3形態存在している。

全国でみられたタキ1900も今や三岐鉄道のある三重でしか見られなくなってしまった。●TOMIX

ホキ1000／ホキ1100

　民営化後に登場した有蓋ホッパ車で、明るいグレーの塗装は珍しく、「白ホキ」の愛称で親しまれている。東藤原駅最寄りの太平洋セメントで製造された炭酸カルシウムを碧南火力発電所まで輸送し、帰路は発電所で発生したフライアッシュ（石炭灰）を東藤原へ戻すという1両で2運用こなせるすぐれた貨車だ。

三岐鉄道線内では2～8両で運用されることが多い。●ポポンデッタ

三岐鉄道ではたまにホキ2両という短編成での運用もみられる。これにタキ1900が数両ぶら下がることもあり、まさに模型的な編成が楽しめる。ED451●マイクロエース、ホキ1000●ポポンデッタ、タキ1900●TOMIX

(機関車交換で遊ぼう!)

三岐鉄道の貨物列車の魅力はなんといってもJR線への受け渡しだ。現在でもJR線受け渡し後、比較的ロングランの運用もあり、機関車の移り変わりの多い列車があるのもうれしい。

関西本線における貨物牽引機のエースとなったDF200 ● TOMIX、タキ1900 ● TOMIX

こちらの運用もDF200が担当する。DF200 ● TOMIX、ホキ1000 ● ポポンデッタ

思いのほか色の組み合わせが似合っている。EF64 ● TOMIX、ホキ1000 ● ポポンデッタ

KE65は見た目はDE10そのものなので流用可能だ。DE10 ● TOMIX、ホキ1000 ● ポポンデッタ

セメント輸送
富田~四日市港

三岐鉄道で主要なセメント輸送列車だが、運行頻度は多いものの運転区間は意外に短く、四日市港までの運用となる。いかにもな臨港線の区間を走るので、そういった情景を走らせたい。

白ホキ運用
(DF200 牽引区間)
富田~稲沢

白ホキ運用もやはり関西線ではDF200が担当する。愛知県の碧南市へ向かうのだが、名古屋を経由して一度、反対方面の稲沢へ向かう。

白ホキ運用
(電気機関車運用区間)
稲沢~大府

稲沢では電気機関車に交換となる。かつてはEF66が所定の運用だったが現在はEF64が担当している。

白ホキ運用
(衣浦臨海鉄道車運用区間)
大府~碧南市

武豊線内からは衣浦臨海鉄道の所有するKE65に牽引される。このKE65は元国鉄のDE10で、同鉄道に転属後に改番された機関車だ。実際はこのKE65重連で走行。

---

column この機関車もほしい!

三岐鉄道の機関車は形式こそED45で統一されているものの、番号ごとに出自が異なり見た目も大きく異なる。製品では丸みを帯びた1~3号機と元東武の9号機が販売中だが、ほかの東洋製の機関車の製品化が皆無だ。

1~3号機にくらべ裾の丸みが消えスマートになったED457。この7号機の車体は西武所沢工場製で、同鉄道でも異色の存在だ。写真◎佐々木 龍

東武で多くみられた貨物のひとつといえば石油輸送だ。日本石油輸送所有の黒タキが中心となった運用の印象が強い。ED5060 ●トミーテック、タキ35000 ●KATO

東武鉄道

戦後製の機関車が活躍

　営業キロ数が長く、路線も多く有する東武鉄道では貨物列車の需要も高く、かつてはさまざまな貨物列車の運転が見られた。戦前はSLによる貨物牽引が多かったため、電気機関車の本格的な増備は戦後におこなわれた。そうした背景もあり、貨物列車牽引の多くは戦後に新製された機関車が担った。

　当鉄道で運用されていた電気機関車は私鉄で多く採用されていた45t級のD型機関車で、試作要素の強いED5000を皮切りにED5010、ED5060へと発展していく。

　牽引する貨物は当時一般的であった黒ワムやワム80000といった有蓋車の貨物からセメント輸送のホキ5700、穀物輸送のホキ2200、さらに石油輸送のタキなどさまざまで、特殊な貨車を用意せずともお手軽に遊べるのもうれしい。

ホキ5700で組成されたセメント輸送も担当した。ED5060 ●トミーテック、ホキ5700 ●KATO

穀物輸送のホキ2200も担当していた。晩年は機関車は重連での運用が多い印象だ。ED5060 ●トミーテック、ホキ2200 ●KATO

昭和の東武貨物を再現するなら黒ワムなどを牽引させてもよい。ワムだけでなくタキやホキが混成する編成でも遊べる。ED5060 ●トミーテック、ワム90000 ●KATO

鉄コレのお陰で東武の貨物列車もお手軽に遊べる時代になった。●トミーテック

西武鉄道

お手軽に遊べる私鉄貨物

　昭和から平成にかけてのこと。狭軌の大手私鉄会社の多くが自社で機関車を保有し、運転頻度の差こそあれど貨物列車を運用していた。

　西武鉄道では秩父線開業にあわせ、当時国鉄の最新鋭機関車であったEF65と同等の性能を有するE851を導入。私鉄最大級の機関車を保有する会社としても有名になった。

　E851は西武秩父線沿線にある武甲山から産出された石灰系の製品を運搬することがおもな運用で、セメント輸送のタキ1900のほか、袋詰めセメントを運ぶ有蓋車のテキ401などの牽引業務にあたった。

E851が牽引する貨物列車の中心的存在のタキ1900。日によって連結数も異なっていた。●KATO

車掌車のワフ101。晩年は連結される機会が減ってしまった。●KATO

テキ401は西武線内でのみ運用されていた。タキとの混成運用のほか有蓋車のみでの列車も運行されていた。●KATO

西武ではE31電気機関車も使用していた。牽引力が乏しく、貨物運用に抜擢されることは少なかったが、代走で重連によるタキ1900の牽引実績もある。●マイクロエース

国鉄顔負けのマンモス機関車E851。私鉄機らしい丸窓がオシャレだ。●KATO

電化地方私鉄の貨物事情

深みにハマるかも？

秩父鉄道と三岐鉄道という地方私鉄の貨物列車を紹介したが、それ以外の地方私鉄の貨物列車事情をみていきたい。

地方私鉄で貨物列車を運転していた会社はとても多く、各種ガレージキットメーカーが細々ではあるがさまざまな機関車を製品化しており、すべて取り上げるとキリがない。ここでは比較的お手軽に楽しめそうな地方私鉄をピックアップしてみよう。

深みにハマってしまうと容易に抜け出せなくなるのがこの手のジャンルのこわいところ。ほどほどにしておいたほうがいいかも？

近江鉄道

近江鉄道の機関車たちは保存車の解体という暗い話でも話題になってしまった。金属キット

金属キットとなるワールド工芸のED31。●ワールド工芸

はワールド工芸から発売されていたが、鉄コレでもED14が製品化され、ようやく完成品でも楽しめる時代となった。

同社は沿線に多くの工場などを有している関係からさまざまな貨物列車が運行されていた。ワム80000によるビール輸送列車や国鉄貨車による石油輸送およびセメント輸送のほか、国鉄のセキ3000とほぼ同型の自社オリジナル貨車のセキ1を使用した鉱石輸送の貨物列車が運転されていた。

岳南鉄道

岳南鉄道は路線は短いものの秩父鉄道や三岐鉄道と並んで貨物列車の運行が盛んだった。収益の多くを貨物列車が支えていたが、乗り入れ先のJR貨物の合理化により2012年に貨物運用が廃止となってしまった。

パノラミックウィンドウを採用し、スマートな外観が特徴のED40。●マイクロエース

以前よりファンの間で人気のあった私鉄貨物列車ということもあり、貨物列車廃止からかなり時間は経ってしまっているが、2015年に鉄コレとマイクロエースからED40が製品化された。牽引する車両は時代によって多少異なるが、晩年はワム38000やコキ50000が中心となっている。

鉄コレの製品化でお手軽に近江鉄道の貨物列車が楽しめるようになった。ED14●トミーテック、ワム80000●KATO

岳南鉄道では近年まで貨物取扱があった。晩年の主役機関車のED40は鉄コレとマイクロエースの2社競合で販売された。ED40●マイクロエース、ワム380000●TOMIX

コンパクトに遊べる 地方私鉄の 貨物列車たち

地方私鉄の貨物列車は機関車などに黒いワムを数両つなげればそれだけで絵になる。事業者を特定し、数多くの資料をひっくり返して平均的な貨車の牽引数を調べてその私鉄らしさを追求した遊び方などもあるがここは模型の世界。肩の力を抜いて、リアルにこだわらずに遊んでみるのも一興だ。

手軽に遊べるサイズ感の機関車も多く製品化されているので、卓上に小さいエンドレスの線路を敷いて、ゆっくり小さな貨物列車が行き交うシーンを眺める、といった遊び方もよいのでは?

プラスチックキットでも私鉄小型機関車が楽しめる時代になった。部品点数も少ないのでチャレンジしてみるのもいいだろう。ED22●ワールド工芸

小型機関車の代表格、銚子電鉄デキ3。これに二軸貨車を数両つなげるだけでもおもしろい。●津川洋行

Bトレインショーティーで製品化されていた上信電鉄のデキ1。ショーティーといいながらファインスケールに近い出来だった。●バンダイ

電動貨車にワムと客車。牧歌的な混合列車も模型で楽しめる 秋田中央交通デワ3000・ナハフ20●トミーテック、ワム70000●KATO

電車を運ぶ甲種車両輸送

車両メーカーで完成した車両を鉄道会社に運ぶ「甲種鉄道車両輸送」も特大貨物の一種で、立派な貨物列車だ。車両が2両・3両なら複数編成を連ねることもあるが、大抵は1編成を牽引するような形で輸送される。

模型では連結や動力の同調など、再現するためには解決すべき課題がいくつかある。ハードルは高いが、ぜひトライしてみたい。E657系・EF510●KATO

2012年まで見られた富士〜新座(タ)間の紙輸送列車。所定はEF66だが、さまざまな機関車が代走として青い「ワムハチ」の先頭に立った。EF210●TOMIX、ワム380000●KATO

貨物電車『スーパーレールカーゴ』

M250系『スーパーレールカーゴ』は2002年に登場した貨物電車。現在の貨物列車では唯一の固定編成で、16両固定でほかの貨車がつながることはない。車両の特性上、たとえ貨物がなくても代わりに死重（重り）を積んだコンテナを積載した状態で運転するのが原則なので、コンテナが外れた状態で営業運転することはない。つねにコンテナが満載状態の美しい編成を楽しめる。

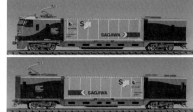

M250系はコンテナの向きもすべて揃った美しい姿となる。●KATO

見ても走らせても楽しい！
貨物列車の編成美

貨物列車はさまざまな貨車やコンテナが連なっており、
ごちゃごちゃしていて美しくないと思う人もいるかもしれないが、
統一された「編成美」が存在する。
貨物列車ならではの美しさを模型で堪能してみよう。

実車を参考に美しい編成を！

貨物列車といえば、昔であれば雑多な貨車が連なるイメージ。現代でもコキにさまざまなコンテナが積載されており、「法則性がない」ことが特徴ともいえる。

しかし、統一された貨車で構成された編成美を見せる貨物列車は昔から存在する。国鉄時代であれば、室蘭本線の石炭輸送列車や東海道本線の車運車などが挙げられるだろう。D51や9600といった蒸気機関車が50

両を超えるセキを連ねて驀進する姿は、まさに貨物列車の編成美と呼ぶにふさわしい。

現代でもタキ1000を連ねて中央西線の峠越えに挑むEF64の重連は多くのファンが追いかける人気列車となっているし、20両すべてがトヨタ自動車のコンテナで統一された『トヨタ・ロングパス・エクスプレス』も美しい編成を見せる。

模型の世界では必ずしも「正解」にこだわる必要はない。実在の編成を参考に、自身の美意識にしたがって編成をより美しく仕立ててみよう。

いろいろな編成を再現しよう!

ここでは古今東西の「編成美」を誇る貨物列車をいくつか紹介したい。
基本的には実車の編成をもとにしているが、美しさを重視して若干アレンジした編成もある。

編成美の魅力

　貨物列車の編成を見て、何を「美しい」と思うかは個人の感性によるところ。ここでは「1種類、あるいは類似の貨車で編成が統一された美しさ」を感じられる編成を選んでみた。こういった編成が見られるのは、単一の品目を大量に輸送する需要がある路線で、東海

関西本線 液体塩素輸送

東海道本線 紙輸送

東海道本線 自動車輸送

山陽本線 鮮魚輸送

室蘭本線 石炭輸送

八高線 セメント輸送

道・山陽本線のような大幹線が中心になる。

　石炭や石灰石など鉱物資源を輸送する列車でも編成美が見られる。これらの列車は採掘場から工場へ直行するため、基本的にほかの貨車を連結しないためだ。

　最盛期の石炭列車はセキ3000を50両以上連ねて驀進する、とても迫力のあるものだった。Nゲージでも3mを超える長大編成となり、レンタルレイアウトなどでも注目の的となること間違いなしだ。

　なお、取り上げた編成は一部を除き具体的な両数は記していない。東海道本線であれば二軸車なら35〜40両、ボギー車なら20〜24両つなげばそれらしくなるが、両数は走らせるレイアウトや予算にあわせて増減させよう。

　模型の世界では必ずしも「正解」にこだわる必要はない。実在の編成を参考に、自身の美意識にしたがって編成をより美しく仕立ててみよう。

塩浜駅と名古屋港を結ぶ液体塩素輸送には黄色のタキ5450が運用に就いていた。通常は長くても4〜5両なので、実車の雰囲気に近づけたい場合は、短くしたタキ7750などと連結させよう。また、機関車は愛知機関区仕様のDD51をチョイスしよう。

青色のワム380000を35〜40両ほど連ねて東海道本線を走っていた2012年ごろの姿をイメージ。機関車はEF66が所定で、EF210やEF200なども担当。貨車はTOMIX、KATO、マイクロエースが発売しているが、車高が異なるので1社で揃えたい。

国鉄時代の東海道本線をイメージするなら、ク5000を連ねて走る自動車輸送。長い時は20両ほどのク5000をヨ5000・ヨ6000が挟んで編成を組んでいた。ク5000を18両程度つなげば迫力満点。機関車はEF65、EH10などを選ぼう。

下関〜東京を18時間少々で鮮魚を運んだ高速貨物。機関車はEF66がふさわしい。貨車はレサ10000系を20両を組むと迫力がある。なお、レムフ10000形は東京寄りの最後尾に1両連結される。

D51が通常2400t、最大2800tもの石炭列車を単機で牽引した室蘭本線。編成にするとセキ3000が2400tで53両、2800tで60両になる。レンタルレイアウトで走らせたら注目を浴びる長編成貨物列車だ。

首都圏近傍でDD51重連の貨物列車が見られた八高線のホキ5700。機関車は全重連型のDD51 800番代で、ホキ5700の編成両数は8〜10両程度。これだけでも迫力ある編成美を楽しめる。

消えた二軸貨車

稠密なダイヤに低速な貨物列車が割り込むのが難しくなった点も廃止の理由のひとつだ。ワラ1●TOMIX

国鉄時代には多数あった二軸貨車だが、現在はヨ8000など一部を除いてほぼ廃車となってしまった。二軸貨車の最高速度は台車のバネの構造から二段リンク式と呼ばれている車両では75km/h、それ以外では65km/hと定められていた。戦後しばらくはこの速度でも問題は顕在化しなかったが、1950年代になって列車本数が増えると旅客列車（最高速度95〜110km/h）との差が大きくなり、このままでは列車増発が困難になってきた。貨物列車の高速化も必要となり、二軸貨車は徐々に淘汰されていった。

19Dコンテナは現在でも2万個以上が全国を駆け巡る主力形式だ。えんじ色のありふれたコンテナだが、50個だけ特別塗装のコンテナがある。それは鉄道コンテナ50周年を記念して製造されたもので、黄緑6号をベースに黒文字で「JRF」のロゴが入った特別仕様となっている。50個というとコキ100系10両分に相当するが、19Dコンテナは日本全国で活躍しているため遭遇率は極めて低い。19Dには試作コンテナとして緑色に塗られたものも2個あるが、こちらは運行区間が宇都宮貨物ターミナルと札幌貨物ターミナル、苫小牧貨物駅の間に限定されているため、粘り強く観察すれば見られるかもしれない。

レアな19Dコンテナ

50個限定で製造された19D記念コンテナ。模型でもさりげなく混ぜてみるといいだろう。●グリーンマックス

私有コンテナのPR効果

自社の宣伝も兼ねたカラフルな私有コンテナ。編成美という点ではどのようにアレンジするか難しいところだがうまく活用したい。●TOMIX

鉄道貨物は「環境にやさしい物流」を標榜し、セールスポイントとしている。これは鉄道貨物で物資を輸送する企業は環境意識が高い企業といい換えることもできる。そして環境意識の高さは商品力となることを理解した企業は、私有コンテナを保有してコンテナを自社の宣伝に使うことを考える。30ftコンテナともなれば長さは9mを超えるため、駅の乗客にも宣伝効果は絶大で、現在はカラフルな私有コンテナが貨物列車をにぎわせている。さらに輸送単位が大きい場合は『スーパーレールカーゴ』や『トヨタ・ロングパス・エクスプレス』のように1編成丸ごと自社のコンテナとすればその効果は計り知れない。

古典貨車4両セットをつくる

古い時代の貨物列車を再現できる4両セット。
動力がなく組み立てやすく、戦後の機関車と組み合わせても似合うモデルだ。

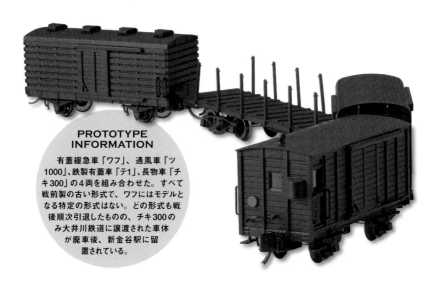

PROTOTYPE INFORMATION

有蓋緩急車「ワフ」、通風車「ツ1000」、鉄製有蓋車「テ1」、長物車「チキ300」の4両を組み合わせた。すべて戦前製の古い形式で、ワフにはモデルとなる特定の形式はない。どの形式も戦後順次引退したものの、チキ300のみ大井川鉄道に譲渡された車体が廃車後、新金谷駅に留置されている。

STEP1 チキの柵柱の組み立て

パーツは慎重に折り曲げよう。
卓上バイスなどがあればそちらを使ってもよい。

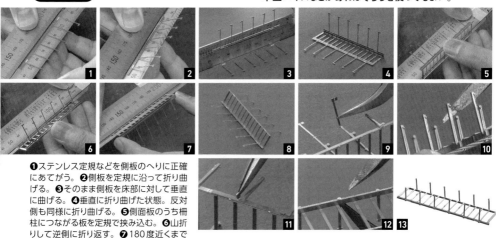

❶ステンレス定規などを側板のへりに正確にあてがう。❷側板を定規に沿って折り曲げる。❸そのまま側板を床部に対して垂直に曲げる。❹垂直に折り曲げた状態。反対側も同様に折り曲げる。❺側面板のうち柵柱につながる板を定規で挟み込む。❻山折りして逆側に折り返す。❼180度近くまで曲げたら、定規をずらして側板を正確に折り重ねる。❽片側だけ折り曲げた状態。反対側も同様に山折りする。❾柵柱を真ん中から慎重に折り返す。❿ペンチで挟んで隙間をなくし、ハンダを流す。⓫側面に接した小さい板を折り返す。⓬下面からハンダを流し、山折りした板までハンダが流れるようにする。⓭柵柱の完成。

STEP2 台枠をつくる

栅柱と床板の長さが合わない時は、中心を合わせて前後対称にしよう。

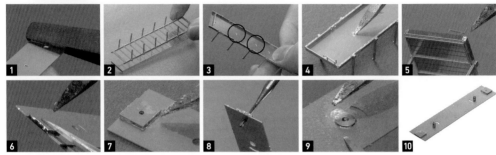

❶床板の前後を垂直に折り曲げる。❷床板を栅柱に重ね、位置を合わせる。❸床板のハンダ穴は、円内のように栅柱のステーですべてふさがるように重ねる。❹ハンダ穴にハンダを流す。❺四隅もハンダで補強する。❻床板のカプラー受けを折り曲げ、ハンダ付けする。❼接合部にもハンダ付けする。❽この時点で必ずM1.2のタップでネジ穴を切る。アーノルドカプラー使用時は、ネジを上板と干渉しないよう削る。❾ボルスタを差し込み、ハンダ付けする。❿台枠の完成。

STEP3 チキの下まわりを組む

ボルスタにバネをそのまま入れるとバネ圧が強いので、バネはカットして長さを調整しよう。

❶ブレーキ棒を台枠に差し込み、裏側からハンダを流す。❷取り付けたら直線部分を切る。❸前後のボルスタ穴を結ぶ直線に沿って、トラス棒を載せる。❹トラス棒の前後をハンダで固定する。❺台枠前後のバリや、上面に浮いたハンダは必ず削る。❻両端のバネの切れ目が上下同じところにくるように、真ん中からニッパーでバネを切る。❼ボルスタにワッシャを載せる。❽さらに台車とバネを載せる。❾ワッシャとネジを重ねて止める。❿下まわりの完成。

STEP4 ワフのボディをつくる

細いパーツは40Wのハンダごてで取り付けよう。

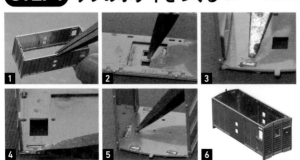

❶ペンチなどで内板と外板を挟んで隙間をなくす。❷側面のくぼみで内板と外板をハンダ付けする。❸妻面のハンダ穴と四隅にもハンダを流す。❹乗務員用扉上部もハンダで補強する。❺ボディの隅もハンダ付けする。❻ボディの完成。

STEP5 ワフのボディの仕上げ　屋根を取り付ける前に妻板のバリを必ず削ろう。

❶乗務員室扉手スリを切り出す。❷妻面側の手スリ（左）のみ片側の脚を残し、ほかの脚は板厚に合わせて切る。❸妻面側の手スリを差し込む。長い脚は窓セルに干渉しないよう下の穴に差す。❹もう片方の手スリも差し込み、ハンダ付けする。❺妻面に解放テコと手スリを差し込み、内側からハンダを流す。❻ボディに屋根板を載せ、センター合わせ用のガイドを切る。❼内側からハンダ付けする。❽表にまわったハンダをヤスリで削る。❾ワフの上まわりの完成。

STEP6 テ1のボディの組み立て　妻板はボディ下面と平行に取り付けよう。

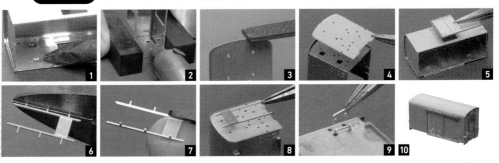

❶内板と外板をハンダ付けする。❷側面を押さえつけて四隅にハンダを流す。❸妻板の屋根側のバリをヤスリで削る。❹妻板を載せ、内側からハンダ付けする。上下面の穴の位置を合わせる。❺側面扉と扉レールを取り付ける。❻妻面に取り付ける支柱の脚を短く切る。❼支柱を90度折り曲げる。❽支柱を妻面に差し込んでハンダを流す。❾妻面と側面に手スリと解放テコをハンダ付けする。脚は板厚に切っておく。❿ボディの完成。

STEP7 ツ1000のボディをつくる　ハンダの熱で板がゆがんでしまったらラジオペンチなどで直そう。

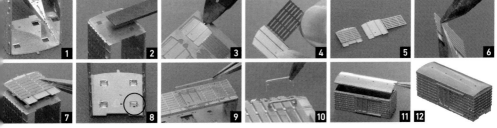

❶ボディのハンダ穴と四隅にハンダを流す。❷妻面のバリを削って面一にする。❸妻板のゲートは、必ずボディ妻面に取り付ける側からカットする。❹妻板を手で折り返す。❺左が折り曲げ後の状態。❻側面をハンダで補強する。❼妻板をボディに載せ、内側からハンダ付けする。❽開放テコに近い穴（円内）は、ハンダが流れすぎて穴がうまらないように注意。❾側面扉とレールを車体に差し込み、ハンダ付けする。❿側面の手スリと妻面の解放テコをハンダで取り付ける。⓫屋根を載せる。Rが合わない時は車体側を削る。⓬内側からハンダ付けし、バリを削ってボディの完成。

STEP8 ワフ、ツ、テの下まわりをつくる
車軸はKATOのスポーク車輪の車軸長（品番：28-193)もしくは車軸短（品番：28-213)を使う。

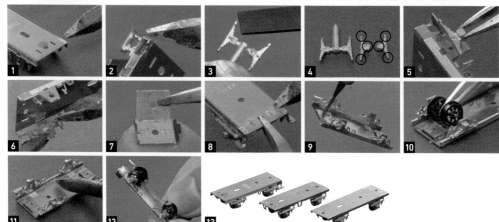

❶床板の四隅にハンダを流す。❷ワフのステップの曲がり目をハンダで補強する。❸担いバネを切り出す前にヤスリで削る。❹台枠につながる左右の端や車軸受け（円内）を特に丹念に削って平坦にする。❺床板上面と平行に担いバネを差し込む。❻軸箱のまわりにハンダがにじむくらいにハンダを流す。❼カプラー受けを折り曲げ、ハンダで補強する。❽床板に差し込み、反対側からハンダ付けする。❾M1.2のタップでネジ穴を切る。❿車軸を差し込む。⓫台車枠の幅を車輪に合わせ、台枠側面にハンダを少し流す。⓬床板に力を入れて車軸を再び差し込む。⓭下まわりの完成。3両分同じ工程を繰り返す。

STEP9 塗装と最終組み立て
チキの上まわりはあらかじめ接着剤を差しておこう。

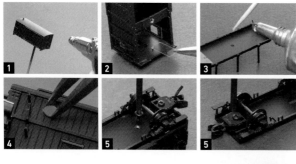

❶車体を黒で塗装する。❷窓セルを貼り付ける。❸チキの上まわりと下まわりは塗装後、ゴム系接着剤で貼り合わせる。❹ワフに木工用接着剤でテールランプを接着する。❺下まわりとボディをネジ止めする。❻カプラーをネジ止めする。マグネマティックカプラーはカプラーに付属のネジで取り付ける。

古典貨車4両セットの完成!

118

エヌライフ選書シリーズ

知っておきたい基礎知識

**Ｎゲージ
入門ブック**
A5判　定価1,650円(税込)

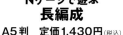

**Ｎゲージで遊ぶ
長編成**
A5判　定価1,430円(税込)

**Ｎゲージモデルで知る
小型機関車**
A5判　定価1,650円(税込)

**Ｎゲージモデルで知る
型式ガイド 特急型編**
A5判　定価1,650円(税込)

**Ｎゲージモデルで知る
型式ガイド 機関車編**
A5判　定価1,650円(税込)

**Ｎゲージモデルで知る
貨車読本**
A5判　定価1,650円(税込)

全国の書店およびAmazon.co.jp や楽天ブックスなどのネット書店で購入できます。

イカロス出版(株) 出版営業部
e-mail:sales@ikaros.co.jp　https://www.ikaros.jp/

エヌライフ選書

Nゲージで楽しむ 貨物列車入門

2024年2月10日発行

表紙・本文デザイン	川井由紀
撮　影	金盛正樹／米山真人／奈良岡 忠／佐々木 龍

発行人	山手章弘
担当編集長	宇山好広
編　集	森田政幸
出版営業部	国井耕太郎／右田俊貴／卯都木聖子／吉成 光

発行所	イカロス出版株式会社
	〒101-0051
	東京都千代田区神田神保町1-105
	TEL 03-6837-4661（出版営業部）

印刷所	図書印刷株式会社

Printed in Japan